LEE CANTER

DEVOIRS SANS LARMES

Guide pour les enseignants et les enseignantes de la 4ᵉ à la 6ᵉ année

La publication de cet ouvrage
a été rendue possible grâce à la collaboration
de la Commission scolaire Vallée-de-la-Lièvre

Les Éditions de la Chenelière inc.
MONTRÉAL

Devoirs sans larmes

**Guide pour les enseignants et les enseignantes
de la 4ᵉ à la 6ᵉ année**

Traduction de *Homework Without Tears*
Grades 4-6
Copyright © 1988 Lee Canter & Associates
Traduction française © 1994 Lee Canter & Associates
et Les Éditions de la Chenelière inc.
Tous droits réservés.

Coordination: Arthur Bouchard, directeur d'école
Lise Bourdeau, psychologue
Marcel Belletête, conseiller pédagogique
Traduction: Irène Dionne
Odette Laurin
Martine Waisvisz
Correction d'épreuves: Claire Campeau
Infographie: Rive-Sud Typo Service inc.
Illustration de la couverture: Christian Campana
Illustrations: Patty Briles et Bob McMahon
Conception graphique: Tom Winberry et Bob Winberry

Données de catalogage avant publication (Canada)

Canter, Lee

Devoirs sans larmes

Traduction de: Homework without Tears

Sommaire: [1] Guide pour les enseignants et les enseignantes
de 1ʳᵉ à 3ᵉ année – [2] Guide pour les enseignants et les enseignantes
de 4ᵉ à 6ᵉ année.

ISBN 2-89310-316-2 (v. 1) – ISBN 2-89317-0 (v. 2)

1. Devoirs à la maison.   2. Étude – Méthodes.   3. Éducation – Participation des parents.   I. Titre.

LB1048.C3614 1995   371.3'028'1   C95-940513-5

Les Éditions de la Chenelière inc.
215, rue Jean-Talon Est
Montréal (Québec)
Canada H2R 1S9
Téléphone: (514) 273-1066
Chenelière Télécopieur: (514) 276-0324

ISBN 2-89310-317-0

Dépôt légal: 2ᵉ trimestre 1995
Bibliothèque nationale du Québec
Bibliothèque nationale du Canada

Imprimé et relié au Canada
par Les Ateliers Graphiques Marc Veilleux

1   2   3   4   5   99   98   97   96   95

TABLE DES MATIÈRES

AVANT-PROPOS

Les leçons et les devoirs: pour qui? pourquoi? comment? par qui? Tel pouvait s'exprimer le besoin ressenti dans notre milieu lorsque nous nous sommes mis à la recherche d'une réponse satisfaisante.

Nous avons d'abord élaboré à l'école Saint-Jean-de-Brébeuf, de Masson-Angers, en 1992-1993, dans le cadre du *Plan d'action sur la réussite éducative*, un projet que nous avons intitulé *Coup de pouce: devoirs et leçons*. Une phase importante de celui-ci consistait à inventorier les différents outils, instruments ou documents de travail, à ce moment sur le marché, qui auraient pu nous aider à donner le «coup de pouce» nécessaire aux devoirs et leçons dans notre milieu.

Un choix fut finalement fait: il s'agissait des écrits de Lee Canter dont le premier, *Homework without tears for parents*, était destiné, comme vous pouvez le constater, aux parents. Au tout début, et du fait que nous nous adressions à des personnes francophones, nous étions limités dans l'utilisation de cette ressource. Ainsi, nous avons d'abord dû nous satisfaire de présenter les illustrations du livre et de les accompagner de nos commentaires et remarques.

Par la suite, constatant que cet outil répondait véritablement aux besoins des parents, la décision de traduire le livre de Lee Canter devint une nécessité. Une première version française fut donc faite. Et pour nous assurer que les parents recevaient vraiment un document complet, une compagnie spécialisée en graphiques et en traitement de texte fut engagée pour produire un livre contenant cette version française.

Les réactions des parents furent très positives. Ce succès nous incita dès lors à produire, pour les enseignantes et enseignants du primaire, la version française des deux livres de Lee Canter, écrits à leur intention et portant sur les devoirs et leçons de la première à la troisième année du primaire pour le premier volume, et de la quatrième à la sixième année pour le second volume. Les réactions furent là aussi très positives.

Que nous restait-il à faire alors sinon de nous assurer que ces outils de travail obtiendraient un rayonnement encore plus large? Le livre que vous avez entre les mains est la réponse à cette question. Souhaitons qu'il vous aidera, comme il nous a aidés, à mettre sur pied chez vous un processus efficace pour les devoirs et les leçons.

Chapitre 1
DEVOIRS SANS LARMES

Donner beaucoup de devoirs n'est pas nécessairement une bonne chose. En fait, à moins que ceux-ci ne soient bien conçus, il vaut mieux ne pas en donner, car les devoirs qui causent de la frustration et des larmes sont pires pour l'enfant que pas de devoirs du tout.

Lee Canter

Les devoirs et vous

Chaque fois que vous donnez un devoir, vous engagez trois groupes de personnes dans le processus: vos élèves, leurs parents et vous-même. Vous devez d'abord vous assurer que l'élève est capable de faire le travail demandé. Les parents doivent soutenir et encourager l'enfant à la maison. Finalement, les élèves doivent faire leurs devoirs eux-mêmes et de leur mieux.

Les devoirs demandent beaucoup de la part des personnes concernées. Et vous en êtes la clé.

Vous êtes responsable de la mise en place d'une base solide pour des devoirs efficaces.

Pour cela, vous devez enseigner à l'élève:

- À établir un horaire quotidien des devoirs;
- À se trouver un espace de travail adéquat;
- À travailler seul et à faire de son mieux;
- À rapporter à l'école des devoirs terminés.

Note   Dans cet ouvrage, nous avons alterné l'emploi du féminin et du masculin afin de ne pas alourdir le texte. Le terme «enseignante» équivaut à «enseignant».

Vous devez enseigner enseigner aux parents:

- Quand et comment aider leur enfant;
- Comment renforcer de bonnes habitudes chez leur enfant;
- Quoi faire avec un enfant qui refuse de faire ses devoirs.

Vous devez vous assurer:

- Que l'élève est capable de faire le travail;
- Que vos directives sont bien comprises par les élèves;
- Que les devoirs sont recueillis et corrigés;
- Que les élèves et leurs parents ont le soutien nécessaire.

Les devoirs et les parents

Grâce aux devoirs, les parents ont l'occasion de participer directement à l'éducation de leur enfant. La motivation et le soutien des parents sont des facteurs déterminants dans le succès de leur enfant. Vous devez montrer aux parents l'influence qu'ils ont sur le rendement de leur enfant.

Les devoirs et les élèves de 4e, de 5e et de 6e année

Les élèves de ces classes peuvent éprouver des difficultés avec leurs devoirs s'ils n'ont pas développé de bonnes habitudes de travail dès leurs premières années scolaires.

Voici le contenu de ce document.

Chapitre 2 – Comment mettre sur pied un système de devoirs?

- Ce sont des lignes directrices pour élaborer un système efficace et le communiquer aux élèves et aux parents.

Chapitre 3 – Comment enseigner aux élèves à faire leurs devoirs de façon responsable?

- Ce chapitre comprend huit leçons pour enseigner aux élèves à faire leurs devoirs consciencieusement.

Chapitre 4 – Comment donner des devoirs efficaces en cinq étapes?

- Ce sont des lignes directrices pour vérifier si les devoirs donnés sont efficaces.

- Ce chapitre propose aussi des moyens éprouvés pour recueillir et corriger les devoirs.

Chapitre 5 – Comment motiver vos élèves à faire leurs devoirs?

- Ce chapitre décrit des techniques pour motiver les élèves individuellement, puis collectivement.

Chapitre 6 – Que faire quand les élèves ne terminent pas leurs devoirs?

- Ce chapitre présente certaines techniques à utiliser à l'école lorsque des élèves ne terminent pas leurs devoirs.

- Il explique comment communiquer avec les parents et obtenir leur soutien lorsque leur enfant ne fait pas ses devoirs.

Chapitre 7 – Modèles de devoirs créatifs

- Ce chapitre présente un ensemble de devoirs créatifs adaptables à différentes matières.

Chapitre 2
COMMENT METTRE SUR PIED UN SYSTÈME DE DEVOIRS?

Un système de devoirs ne sera efficace que s'il décrit clairement les responsabilités de l'élève et des parents.

Les objectifs d'un système de devoirs

Expliquer le bien-fondé des devoirs

Vous ne pouvez présumer que les enfants et les parents connaissent l'importance des devoirs. Par conséquent, vous devez expliquer aux deux partis le bien-fondé et les avantages des devoirs.

- Les devoirs renforcent les habiletés pratiquées en classe ainsi que la matière vue au cours de la journée.
- Ils préparent les élèves à aborder un sujet qui sera prochainement étudié en classe.
- Ils développent chez l'enfant une certaine autonomie.
- Ils permettent d'évaluer les progrès des élèves.

Expliquer le type de devoirs que vous donnerez

Assurez parents et enfants que les devoirs donnés serviront à approfondir la matière apprise en classe, et qu'ils ne feront appel qu'aux habiletés déjà maîtrisées par les élèves.

Informer les parents de la fréquence et de la quantité des devoirs

Donner des devoirs, de façon régulière, améliore considérablement le rendement de l'élève. Il est préférable d'indiquer les jours de la semaine où il y aura des devoirs à faire.

Des tâches d'une durée de 45 à 60 minutes sont suffisantes pour les élèves de 4e, de 5e et de 6e année. Bien sûr, la durée des devoirs dépend des besoins et de la capacité des élèves en cause.

Il est donc important d'inscrire dans votre système de devoirs les jours où vous prévoyez donner des devoirs et un temps limite pour les accomplir.

Expliquer aux élèves de quelle manière vous désirez que les devoirs soient faits

Exposez clairement vos attentes.

- Les devoirs doivent être faits au complet.
- Les élèves doivent donner le meilleur d'eux-mêmes.
- Les devoirs doivent être faits correctement.
- Les devoirs doivent être remis le jour convenu.
- Les élèves ont la responsabilité de faire les devoirs qui ont été donnés alors qu'ils étaient absents.

Indiquer que vous comptez garder un registre des devoirs

Dites aux élèves que vous noterez, dans un registre, les devoirs qui seront terminés et ceux qui ne le seront pas. Ce contrôle suffit généralement à motiver la plupart des élèves à faire leurs devoirs et montre aux parents l'importance que vous accordez à chaque tâche que vous donnez.

Expliquer comment vous tiendrez compte des devoirs dans les résultats de l'élève

Les enfants et les parents doivent savoir si les devoirs sont considérés ou non dans l'évaluation finale de l'élève.

Dire aux parents de quelle manière vous comptez motiver les élèves à faire leurs devoirs

Vous pourriez par exemple expliquer que vous interviendrez individuellement et collectivement:

- En faisant l'éloge de l'élève, en lui donnant une récompense ou en faisant parvenir une note à ses parents à son sujet;
- En donnant une récompense à toute la classe.

Expliquer quelles seront les conséquences si l'élève ne fait pas ses devoirs

- Vous entrerez en rapport avec les parents pour discuter du problème et leur indiquer certaines ressources auxquelles ils pourraient recourir pour corriger la situation. (*Voir le chapitre 6.*)
- Si vous n'avez pas la collaboration des parents ou si les moyens utilisés ne fonctionnent pas, alors vous devrez essayer autre chose, par exemple:
  - Que les parents signent, tous les soirs, les devoirs terminés;
  - Que l'élève fasse ses devoirs pendant la récréation ou à l'heure du dîner.

Il est important de mentionner que, dans certaines circonstances indépendantes de sa volonté, un élève peut être dans l'impossibilité de faire ses devoirs. Soyez attentif aux besoins de cet élève, essayez de comprendre sa situation familiale et aidez-le à trouver des solutions.

Expliquer aux parents ce que vous attendez d'eux

- Les devoirs doivent être une priorité pour les parents.
- Les parents doivent s'assurer que l'enfant dispose d'un espace de travail adéquat.
- Les parents doivent planifier un horaire quotidien pour les devoirs.
- Les parents doivent féliciter leur enfant s'il a terminé ses devoirs.
- Les parents doivent vous prévenir si l'enfant éprouve des difficultés avec ses devoirs.

Comment utiliser le système de devoirs?

Il serait bon de donner une copie de votre système de devoirs à votre directeur ou directrice. De cette façon, il ou elle pourra mieux répondre aux questions des parents et vous appuyer en cas de besoin.

Discuter avec vos élèves de votre système de devoirs

Au début de l'année, présentez votre système de devoirs aux élèves et prenez le temps de répondre à leurs questions.

Faire parvenir une copie de votre système de devoirs aux parents

Il est important que les parents soient au courant de vos attentes relativement aux devoirs. Envoyez également une lettre à la maison incitant les parents à discuter du système avec leur enfant. Prévoyez une partie détachable dans la lettre où le parent et l'enfant devront signer, attestant qu'ils en ont pris connaissance et qu'ils en ont discuté. L'élève devra vous remettre cette section.

Exemple d'un système de devoirs

Prenez quelques instants pour lire l'*Exemple d'un système de devoirs* présenté à la page suivante.

EXEMPLE D'UN SYSTÈME DE DEVOIRS

Chers parents,

Je crois que les devoirs sont importants parce qu'ils sont un moyen efficace pour aider les élèves à profiter au maximum de leur présence à l'école. Je donne des devoirs parce qu'ils permettent le renforcement de ce qui a été vu en classe, parce qu'ils préparent les élèves aux futures leçons, leur permettent d'élargir et de généraliser les concepts, leur enseignent à devenir responsables et les aident à prendre de bonnes habitudes d'étude.

J'en donnerai du lundi au jeudi. Ces travaux ne prendront généralement pas plus d'une heure, à l'exception toutefois de la préparation aux examens ou des travaux à long terme. Des contrôles d'épellation seront donnés chaque vendredi. J'aviserai les élèves une semaine avant chaque examen et un travail écrit sera demandé à chaque étape.

J'attends de mes élèves qu'ils fassent de leur mieux, que leurs devoirs soient propres, qu'ils travaillent d'une façon autonome et qu'ils ne demandent de l'aide qu'après avoir fourni un effort sérieux.

Je vérifierai tous les devoirs. Je crois fermement qu'un suivi constant motive les élèves et les aide à développer de bonnes habitudes. Je les récompenserai quand ils auront fait leurs travaux.

Lorsque des élèves ne feront pas leurs devoirs, je demanderai à leurs parents de vérifier chaque soir les travaux à faire et de les signer s'ils sont terminés. Si un élève refuse de faire son travail, certains privilèges lui seront retirés. Lorsqu'un élève présentera son travail en retard, je l'accepterai, mais il sera pénalisé. S'il refuse toujours de faire ses devoirs, il sera mis en retenue pour 15 minutes, et j'avertirai ses parents.

Si, pour une raison valable, votre enfant ne peut pas terminer son devoir, je vous demande de m'envoyer une note explicative le jour de la remise du travail.

C'est surtout grâce à vous que l'heure des devoirs deviendra un moment important pour votre enfant. Pour cela, vous devez en faire une priorité, fournir le matériel nécessaire et aménager un coin paisible, faire respecter l'horaire quotidien, apporter votre soutien constant et prendre contact avec moi si vous constatez un problème.

Vous devriez aider votre enfant quand un problème surgit, mais seulement après qu'il aura fait un effort louable. En aucun cas, les parents ne devraient faire les devoirs à la place de leur enfant.

Signature

Chapitre 3
COMMENT ENSEIGNER AUX ÉLÈVES À FAIRE LEURS DEVOIRS DE FAÇON RESPONSABLE?

Certains élèves ont de la difficulté à faire leurs devoirs simplement parce qu'ils n'ont pas développé de bonnes habitudes de travail. Ils font leurs devoirs en regardant la télé ou en parlant au téléphone. Ils doivent apprendre à faire leurs devoirs de façon responsable.

Pour être efficaces, les huit leçons suivantes doivent être présentées aux élèves dès la première ou la deuxième semaine de classe.

Les leçons incluses dans ce chapitre

Leçon 1:   Présenter le système de devoirs

Leçon 2:   Remettre les devoirs le jour demandé

Leçon 3:   Aménager un espace de travail à la maison

Leçon 4:   Créer une trousse de survie

Leçon 5:   Planifier un horaire pour les devoirs

Leçon 6:   Faire ses devoirs soi-même

Leçon 7:   Se récompenser soi-même pour les devoirs bien faits

Leçon 8:   Planifier les projets à long terme

Le contenu de chaque leçon

Un **plan de leçon de l'enseignante** exposant le principe de base, le but poursuivi, le matériel nécessaire et la marche à suivre.

Une **feuille de travail pour les élèves** qui sert à renforcer et à approfondir la leçon. Ces feuilles, reproductibles au besoin, se trouvent en annexes (pages 73 à 83).

Une **feuille-conseils pour les parents** destinée à les informer des moyens à employer pour aider leur enfant. Ces feuilles apparaissent également en annexes (pages 85 à 93).

Note Toutes ces leçons doivent être données en l'espace d'une ou deux semaines.

Les directives pour présenter chaque leçon

- Lisez le plan de la leçon pour vous familiariser avec le principe de base, le but poursuivi et les activités proposées.
- Faites une copie pour chaque élève de la feuille de travail et de la feuille-conseils.
- Amorcez la leçon:
  - Présentez le sujet;
  - Discutez-en avec vos élèves;
  - Expliquez le devoir et distribuez la feuille de travail;
  - Distribuez et discutez de la feuille-conseils;
  - Assurez-vous que les élèves apportent à la maison les deux feuilles.
- Suivez les étapes de l'activité telles qu'elles sont décrites.

Vous voilà prêt à enseigner à vos élèves comment faire des devoirs de façon responsable. Passez maintenant à la leçon 1, à la page suivante.

Leçon 1
PRÉSENTER LE SYSTÈME DE DEVOIRS

PRINCIPE DE BASE —— Le système de devoirs définit les attentes et les responsabilités de chaque personne engagée dans le processus – l'enseignante, les élèves et les parents.

BUT POURSUIVI —— Les élèves prennent connaissance du système de devoirs. Ils en apportent une copie à leurs parents pour en discuter avec eux et obtenir leur signature, puis ils la rapportent à l'école.

MATÉRIEL NÉCESSAIRE —— Votre système de devoirs.
La lettre aux parents (chapitre 2, page 9).

MARCHE À SUIVRE —— **METTRE L'ACCENT SUR L'IMPORTANCE DE CHAQUE PERSONNE ENGAGÉE DANS LE PROCESSUS**

1 Dites aux élèves qu'ils ne sont pas les seuls à être engagés dans le processus des devoirs. Expliquez-leur que la responsabilité des devoirs revient à l'enseignante, à l'élève et aux parents.

2 Demandez aux élèves ce qu'ils croient être leurs responsabilités quant aux devoirs. Écrivez leurs idées au tableau.
Exemples:

– Se rappeler d'apporter les devoirs à la maison;
– Faire ses devoirs correctement;
– Essayer de faire ses devoirs sans aide.

3 Expliquez aux élèves que, durant les prochains jours, vous leur ferez mettre en pratique des stratégies qui les aideront à faire leurs devoirs de façon responsable.

4 Maintenant, demandez aux élèves de parler des responsabilités des parents vis-à-vis des devoirs. Inscrivez leurs idées au tableau.
Exemples:

– S'assurer que l'élève a un espace pour étudier à la maison;
– Rappeler à l'élève qu'il doit faire ses devoirs;
– S'assurer qu'il ne manque de rien;
– L'amener à la bibliothèque quand c'est nécessaire;
– Lire et vérifier le travail demandé.

5 Dites aux élèves que les parents doivent apprendre comment aider leur enfant. Avisez-les également que vous enverrez prochainement aux parents des feuilles-conseils qui les renseigneront sur la façon de les aider lors des devoirs.

DISCUTER AVEC LES ÉLÈVES DE LA RAISON POUR LAQUELLE LES DEVOIRS LES AIDERONT À DÉVELOPPER LE SENS DES RESPONSABILITÉS

1 Dites aux élèves que ce soir vous leur donnerez une copie du système de devoirs à apporter à la maison.

2 Expliquez-leur que ce système contient une liste de directives qui aideront parents et élèves à mieux comprendre leurs responsabilités.

3 Annoncez les récompenses données pour les devoirs bien faits, ainsi que les conséquences fâcheuses prévues lors de devoirs négligés.

4 Assurez-vous que les élèves comprennent bien toutes les directives. Demandez-leur de les répéter dans leurs propres mots.

5 Donnez à chaque élève une copie signée par vous du système de devoirs et une lettre d'information pour les parents.

EXPLIQUER LE DEVOIR

Dites aux élèves qu'ils doivent lire, avec leurs parents, les informations concernant votre système de devoirs. Dites-leur qu'eux-mêmes et leurs parents doivent signer la lettre, à l'endroit désigné (montrez-leur la partie en question). Cette lettre doit être rapportée à l'école dès le lendemain.

ASSURER LE SUIVI

1 Le jour suivant, recueillez les lettres signées. Vérifiez de nouveau la compréhension des élèves.

2 Affichez une copie du système de devoirs dans la classe.

3 Soyez constant. Donnez toujours, lorsque l'occasion se présente, les récompenses ou les conséquences méritées. Que ce soit clair, dans votre classe, que les devoirs *sont* importants.

EXEMPLE D'UN SYSTÈME DE DEVOIRS

Chers parents,

Je crois que les devoirs sont importants parce qu'ils sont un moyen efficace pour aider les élèves à profiter au maximum de leur présence à l'école. Je donne des devoirs parce qu'ils permettent le renforcement de ce qui a été vu en classe, parce qu'ils préparent les élèves aux futures leçons, leur permettent d'élargir et de généraliser les concepts, leur enseignent à devenir responsables et les aident à prendre de bonnes habitudes d'étude.

J'en donnerai du lundi au jeudi. Ces travaux ne prendront généralement pas plus d'une heure, à l'exception toutefois de la préparation aux examens ou des travaux à long terme. Des contrôles d'épellation seront donnés chaque vendredi. J'aviserai les élèves une semaine avant chaque examen et un travail écrit sera demandé à chaque étape.

J'attends de mes élèves qu'ils fassent de leur mieux, que leurs devoirs soient propres, qu'ils travaillent d'une façon autonome et qu'ils ne demandent de l'aide qu'après avoir fourni un effort sérieux.

Je vérifierai tous les devoirs. Je crois fermement qu'un suivi constant motive les élèves et les aide à développer de bonnes habitudes. Je les récompenserai quand ils auront fait leurs travaux.

Lorsque des élèves ne feront pas leurs devoirs, je demanderai à leurs parents de vérifier chaque soir les travaux à faire et de les signer s'ils sont terminés. Si un élève refuse de faire son travail, certains privilèges lui seront retirés. Lorsqu'un élève présentera son travail en retard, je l'accepterai, mais il sera pénalisé. S'il refuse toujours de faire ses devoirs, il sera mis en retenue pour 15 minutes, et j'avertirai ses parents.

Si, pour une raison valable, votre enfant ne peut pas terminer son devoir, je vous demande de m'envoyer une note explicative le jour de la remise du travail.

C'est surtout grâce à vous que l'heure des devoirs deviendra un moment important pour votre enfant. Pour cela, vous devez en faire une priorité, fournir le matériel nécessaire et aménager un coin paisible, faire respecter l'horaire quotidien, apporter votre soutien constant et prendre contact avec moi si vous constatez un problème.

Vous devriez aider votre enfant quand un problème surgit, mais seulement après qu'il aura fait un effort louable. En aucun cas, les parents ne devraient faire les devoirs à la place de leur enfant.

Signature

Leçon 2

REMETTRE LES DEVOIRS LE JOUR DEMANDÉ

PRINCIPE DE BASE —— *Remettre les devoirs le jour demandé* est une responsabilité importante que l'élève doit assumer.

BUT POURSUIVI —— Les élèves choisiront un endroit à la maison, où ils pourront déposer leurs devoirs une fois terminés. Si ceux-ci sont toujours à la même place, il leur sera plus facile de penser à les rapporter à l'école.

MATÉRIEL NÉCESSAIRE —— Feuille de travail 2, page 75.
Feuille-conseils 2, page 87.

MARCHE À SUIVRE —— **INTRODUIRE LE SUJET: SE RAPPELER DE RAPPORTER SES DEVOIRS À L'ÉCOLE TOUS LES JOURS**

1 Demandez aux élèves de se rappeler les occasions où ils ont oublié leurs devoirs à la maison et d'expliquer les raisons de ces oublis.

2 Demandez-leur ce qui se produit lorsqu'à la maison, ils ne retrouvent plus leurs devoirs. Comment se sentent-ils? Comment leurs parents réagissent-ils? Comment, de retour en classe, se sentent-ils lorsqu'ils se rendent compte qu'ils ont laissé à la maison les devoirs qu'ils avaient pourtant terminés?

3 Demandez aux élèves des solutions pour se rappeler de rapporter leurs devoirs à l'école tous les jours.

DISCUTER DES SOLUTIONS POSSIBLES AVEC LES ÉLÈVES

1 Annoncez que vous connaissez une façon de faire qui les aidera à ne jamais oublier de rapporter leurs devoirs.

2 Dites aux élèves l'importance de toujours mettre leurs devoirs au même endroit. Demandez-leur où serait l'endroit idéal.

3 Insistez sur le fait qu'ils développeront vite l'habitude de placer leurs devoirs au même endroit chaque soir.

EXPLIQUER LE DEVOIR
(FEUILLE DE TRAVAIL 2, page 75)

1 Le devoir consiste à faire le mot caché et à choisir un endroit à la maison pour déposer les devoirs.

2 Donnez aux élèves une copie de la *Feuille de travail 2*. Ils devront trouver et encercler les mots DÉPÔT, DES, DEVOIRS et HABITUDE.

3 Rappelez aux élèves qu'aussitôt qu'ils terminent leur mot caché, ils doivent le mettre à l'endroit désigné, soit au Dépôt des devoirs.

DONNER LA FEUILLE-CONSEILS 2 (page 87)

1 Discutez avec les élèves de cette bande dessinée.

2 Expliquez que cette feuille-conseils informera les parents de la façon d'aider leur enfant.

3 Lisez aux élèves la feuille-conseils, si nécessaire.

4 Assurez-vous que les élèves apportent cette feuille à la maison.

ASSURER LE SUIVI

1 Demandez à quelques élèves comment fonctionne le système et discutez-en avec le groupe.

2 N'oubliez pas que le but de cette activité est de développer de bonnes habitudes qui profiteront aux élèves toute l'année.

Leçon 3
AMÉNAGER UN ESPACE DE TRAVAIL À LA MAISON

PRINCIPE DE BASE — Les élèves et les parents doivent comprendre que l'enfant a besoin d'un endroit pour bien travailler. Cet espace de travail doit être bien éclairé et calme. Il doit contenir tout le matériel nécessaire.

BUT POURSUIVI — Avec l'aide des parents, les élèves doivent choisir un espace de travail à la maison. Ils auront ensuite à l'illustrer sur une feuille.

MATÉRIEL NÉCESSAIRE — Feuille de travail 3a, page 76.
Feuille de travail 3b, page 77.
Affiche NE PAS DÉRANGER, page 78.
Feuille-conseils 3, page 88.

MARCHE À SUIVRE — **INTRODUIRE LE CONCEPT DE FAIRE LES DEVOIRS DANS UN ESPACE DE TRAVAIL ADÉQUAT**

1 Demandez aux élèves où ils travaillent habituellement. Est-ce un bon endroit pour faire leurs devoirs? Qu'est-ce qui leur plaît dans cet endroit? Qu'est-ce qui leur déplaît?

2 Échangez des idées autour des questions suivantes:

– Pouvez-vous faire vos devoirs dans un endroit bruyant? Pourquoi?

– Pouvez-vous faire vos devoirs en regardant la télé? Pourquoi?

– Pouvez-vous faire vos devoirs en mangeant? Pourquoi?

– Pouvez-vous faire vos devoirs en jouant? Pourquoi?

3 Durant une activité de remue-méninges, demandez aux élèves de suggérer un bon endroit pour aménager un espace de travail. Rappelez-leur qu'un bon coin d'étude doit être bien éclairé, calme, et contenir tout le matériel nécessaire.

AMÉNAGER UN ESPACE DE TRAVAIL À LA MAISON

1 Invitez les élèves à nommer des endroits à la maison où ils pourraient faire leurs devoirs sans être dérangés. Demandez-leur pourquoi ils ont choisi cet endroit.

2 Mentionnez aux élèves que, même s'ils font la plupart de leurs devoirs chez la gardienne (ou ailleurs), ils doivent quand même avoir un espace de travail à la maison.

3 Insistez sur le fait qu'un espace de travail peut se trouver dans toute pièce de la maison. Que ce soit dans la cuisine, la chambre, le salon, le cabinet d'étude, cela importe peu, pourvu qu'ils puissent se concentrer et faire leur travail dans la tranquillité.

4 Faites valoir l'importance d'avoir un petit coin de travail aussi agréable que fonctionnel.

Avec l'aide des élèves, faites une liste au tableau des articles que l'on peut retrouver dans un espace de travail. Divisez cette liste en deux catégories:

Fonctionnel – le nécessaire

Exemples:

– bureau, table,
– chaise,
– lampe,
– corbeille à papier,
– fournitures.

Agréable – la touche personnelle

Exemples:

– sous-main coloré,
– coussins décoratifs,
– plantes, fleurs,
– blocs-notes,
– affiches.

Note   Pour certains élèves, il pourra être difficile de trouver un espace de travail acceptable à la maison. Le logement est peut-être surpeuplé, le climat à la maison instable, les parents insensibles aux besoins de leurs enfants en ce qui concerne les études. Aidez ces enfants à trouver des solutions de rechange.

Quelques suggestions

1 Trouver un autre endroit pour faire les devoirs: à la bibliothèque ou chez un ami.

2 Demander aux parents d'appuyer les efforts de leur enfant en gardant le calme dans la maisonnée durant le temps des devoirs.

3 Demander aux parents s'il y a une pièce dont l'accès serait interdit aux autres enfants pendant le temps consacré aux devoirs.

4 S'organiser pour faire ses devoirs en même temps qu'un frère ou une sœur.

Encouragez les élèves à apporter leurs propres solutions au problème qui se pose.

Feuille de travail 3a

Nom : _____
Date : _____

Mon espace de travail

Dans l'espace ci-dessous, illustre l'espace de travail que tu as choisi à la maison. Ensuite, complète les phrases au bas de la feuille.

Mon espace de travail sera _____
Ce sera un bon endroit pour étudier parce que _____

Je ferai mes devoirs dans cet espace de travail.
Signature de l'élève : _____
J'accepte que cet endroit devienne l'espace de travail de mon enfant.
Signature d'un parent : _____

EXPLIQUER LE DEVOIR
(FEUILLES DE TRAVAIL 3A ET 3B, pages 76 et 77)

1 *Avec l'aide des parents*, les élèves doivent trouver un espace de travail idéal.

2 Montrez aux élèves la *Feuille de travail 3a*. Expliquez que le travail consiste à dessiner l'espace de travail qu'ils auront choisi. Ils en feront la description dans l'espace prévu à cet effet.

3 Demandez aux élèves de colorier et de découper l'affiche LES DEVOIRS, C'EST AMUSANT! *(Feuille de travail 3b)*, puis de la placer dans leur espace de travail.

DONNER LA FEUILLE-CONSEILS 3 (page 88)

1 Discutez avec les élèves de cette feuille.

2 Expliquez que cette feuille-conseils informera leurs parents de la façon de les aider à aménager un espace de travail personnel.

3 Lisez la feuille-conseils aux élèves, si nécessaire.

4 Assurez-vous que les élèves apportent cette feuille à la maison.

ASSURER LE SUIVI

1 Le jour suivant, ramassez les *Feuilles de travail 3a* et affichez-les dans la classe.

2 Demandez aux élèves de colorier l'affiche *NE PAS DÉRANGER* (page 78) et de l'afficher dans leur espace de travail.

3 Lors d'un cours d'arts plastiques, vous pourriez demander aux élèves de décorer des pots ou des boîtes de conserve vides pour en faire des porte-crayons. Ils pourraient également décorer des boîtes de carton de diverses formes pour y mettre leur matériel de travail.

19

Leçon 4
CRÉER UNE TROUSSE DE SURVIE

PRINCIPE DE BASE _____ Pour bien faire leurs devoirs, les élèves ont besoin, à la maison, du matériel nécessaire. Une trousse de survie leur permettra de faire leurs devoirs correctement et de respecter les délais.

BUT POURSUIVI _____ Les élèves doivent identifier, à l'aide du casse-tête Safari, les articles nécessaires dans une trousse de survie. Grâce à ce qu'ils auront appris dans cette activité, ils pourront créer leur propre trousse pour la maison.

MATÉRIEL NÉCESSAIRE _____ Feuille de travail 4, page 79.
Feuille-conseils 4, page 89.

MARCHE À SUIVRE _____ **PRÉSENTER L'IDÉE DE CRÉER UNE TROUSSE DE SURVIE**

1 Expliquez aux élèves l'importance d'avoir tout le matériel nécessaire pour bien faire leurs devoirs le soir.

2 Demandez aux élèves ce qui se passe lorsqu'ils ne trouvent pas ce dont ils ont besoin pour faire leurs devoirs. Par exemple, ils doivent remettre un rapport le jour suivant, mais ils n'ont pas de chemise cartonnée pour le ranger.

3 Dites aux élèves qu'une façon de remédier à ce problème est de créer sa propre trousse de survie. Cette trousse contiendra tout ce dont ils pourraient avoir besoin pour faire leurs devoirs.

DISCUTER DU CONTENU DE LA TROUSSE ET DE LA FAÇON D'ASSEMBLER CE MATÉRIEL EN UN SEUL ENDROIT

1 Demandez aux élèves d'énumérer différents articles qu'ils devraient inclure dans leur trousse, puis demandez-leur d'expliquer de quelle façon ces objets leur seront utiles dans l'accomplissement de leur travail.

2 Discutez avec les élèves de divers moyens d'assembler tous les objets de la trousse en un seul endroit. Invitez les élèves à suggérer les types de contenants (boîtes, tiroirs, etc.) qu'ils pourraient utiliser.

3 Ayez certains de ces contenants sous la main et demandez aux élèves d'en évaluer l'utilité. (Cette boîte est-elle assez grande pour tout contenir? Est-elle trop profonde? Des objets peuvent-ils s'y perdre?)

Articles suggérés pour la trousse de survie

crayons de couleur • crayons à la mine • marqueurs • taille-crayons • gomme à effacer • colle • ruban adhésif • papier à écrire • papier de bricolage • règle • agrafeuse • ciseaux • dictionnaire • trombones • perforeuse • fiches • chemises cartonnées • carnet de devoirs

EXPLIQUER LE DEVOIR
(FEUILLE DE TRAVAIL 4, page 79)

1 Le devoir aidera les élèves à organiser leur trousse de survie à la maison.

2 Les élèves devront trouver et encercler les 19 articles de la trousse cachés dans le casse-tête Safari. Au fur et à mesure qu'ils les trouveront, ils devront les inscrire au verso de la feuille.

3 Les parents devront signer cette feuille, attestant ainsi qu'ils acceptent d'aider leur enfant à rassembler le nécessaire pour sa trousse personnelle.

4 Dites aux élèves que leurs parents ne sont pas obligés d'acheter immédiatement tous les objets de la liste. La trousse peut s'élaborer au fur et à mesure que se manifestent leurs besoins.

Note Certains élèves n'ont pas les ressources financières leur permettant de créer une trousse de survie. Vous pouvez les aider en leur permettant d'emprunter du matériel de l'école pour faire un devoir en particulier. N'oubliez pas que les articles d'une trousse sont des cadeaux appropriés quand vient le temps des récompenses.

DONNER LA FEUILLE-CONSEILS 4 (page 89)

1 Discutez avec les élèves de cette feuille.

2 Expliquez que cette feuille-conseils informera leurs parents de la façon de les aider à créer leur propre trousse de survie à la maison.

3 Lisez la feuille-conseils, si nécessaire.

4 Assurez-vous que les élèves apportent cette feuille à la maison.

ASSURER LE SUIVI

1 Le jour suivant, recueillez les feuilles de devoir et vérifiez si elles ont été signées. Puis remettez-les aux élèves en leur disant de les utiliser pour compléter leur trousse. Ils devraient cocher chaque article figurant sur la liste à mesure qu'ils l'ajoutent à leur trousse.

2 Lors d'un cours d'arts plastiques, demandez aux élèves de décorer une petite boîte qu'ils pourront apporter à la maison pour y mettre des articles de leur trousse (trombones, craies, stylos, etc.)

Leçon 5

PLANIFIER UN HORAIRE POUR LES DEVOIRS

PRINCIPE DE BASE _____ Les devoirs - comme toute autre activité - doivent être planifiés.

BUT POURSUIVI _____ Les élèves devront inscrire leurs activités parascolaires sur la feuille de travail. Ce faisant, ils détermineront l'heure appropriée pour les devoirs.

MATÉRIEL NÉCESSAIRE _____ Feuille de travail 5, page 80.
Feuille-conseils 5, page 90.

MARCHE À SUIVRE _____ **PRÉSENTER L'IDÉE DE PLANIFIER L'HEURE DES DEVOIRS**

1 Demandez aux élèves s'ils ont déjà manqué de temps pour faire leurs devoirs. Est-ce qu'ils les font tard en soirée alors qu'ils sont trop fatigués pour s'appliquer? Est-ce que les activités parascolaires entrent en conflit avec les devoirs? Comment se fait-il que les élèves peuvent inclure ces activités dans leur horaire alors que les devoirs sont souvent expédiés, sans soin, à la dernière minute?

2 Mentionnez l'importance de planifier le temps des devoirs autant que toute autre activité.

Note Soyez conscient des besoins de vos élèves. Certains d'entre eux n'ont aucune activité structurée dans leur vie, à part l'école. Faites-leur comprendre que le fait de fixer une heure quotidienne pour les devoirs les aidera à accomplir leurs tâches et ce, dans un délai raisonnable.

3 Demandez aux élèves de dire en quoi une heure quotidienne des devoirs peut les aider.

4 Dites aux élèves qu'il y a deux choses à considérer lorsqu'on décide du temps des devoirs: les activités parascolaires déjà planifiées (cours de musique, sports) et l'heure à laquelle l'élève est le plus productif dans la soirée pour faire ses devoirs (tout de suite après l'école ou après une heure de jeu).

5 Demandez aux élèves la raison pour laquelle les activités parascolaires sont inscrites dans un horaire. Est-ce qu'ils respectent habituellement cet horaire? Pourquoi en est-il ainsi? Répétez que les devoirs doivent également devenir une activité planifiée, au même titre que les activités parascolaires.

EXPLIQUER LE DEVOIR
(FEUILLE DE TRAVAIL 5, page 80)

1 Dites aux élèves que vous leur donnez un devoir qui les aidera à planifier un horaire de devoirs hebdomadaire.

2 Regardez la *Feuille de travail 5* avec les élèves. Ils doivent y inscrire leurs activités parascolaires pour une semaine. Ensuite, ils doivent ajouter, dans les espaces demeurés libres, l'heure des devoirs choisie.

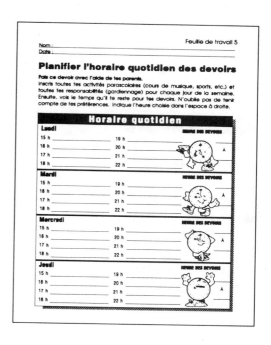

DONNER LA FEUILLE-CONSEILS 5 (page 90)

1 Discutez avec les élèves de cette feuille.

2 Expliquez que cette feuille-conseils informera leurs parents de la façon de les aider à établir une heure quotidienne des devoirs.

3 Lisez la feuille-conseils, si nécessaire.

4 Assurez-vous que les élèves l'apportent à la maison.

ASSURER LE SUIVI

1 Le jour suivant, assurez-vous que les élèves ont rempli leur horaire. Dites-leur d'afficher cette feuille de travail dans leur espace de travail ou ailleurs, bien en évidence. Encouragez les élèves à suivre cet horaire rigoureusement pendant une semaine.

2 La semaine suivante, demandez aux élèves s'ils ont bien suivi leur horaire. Si oui, quel en est le résultat?

3 Au cours de l'année, assurez-vous que les élèves disposent d'un nombre suffisant de copies de l'horaire.

Leçon 6

FAIRE SES DEVOIRS SOI-MÊME

PRINCIPE DE BASE _____ Faire ses devoirs de façon indépendante développe chez l'élève le sens des responsabilités, lui donne confiance et rehausse son estime de soi.

BUT POURSUIVI _____ Les élèves utiliseront des étiquettes sur lesquelles sont inscrits des sigles portant des messages positifs. Ils apposeront fièrement ces étiquettes sur chaque devoir qu'ils auront fait eux-mêmes.

MATÉRIEL NÉCESSAIRE _____ Feuille de travail 6, page 81.
Feuille-conseils 6, page 91.

MARCHE À SUIVRE _____ **PRÉSENTER L'IDÉE QUE L'ÉLÈVE DOIT FAIRE SES DEVOIRS LUI-MÊME**

1 Demandez aux élèves comment ils se sentent lorsqu'ils réussissent un travail qu'ils ne pouvaient pas faire seuls auparavant.

2 Demandez aux élèves pourquoi c'est important de faire ses devoirs soi-même, sans l'aide des parents. Admettez le fait qu'il est bien plus facile de faire un travail scolaire lorsqu'on a de l'aide, mais ajoutez qu'on retire beaucoup plus de satisfaction d'un travail fait seul.

DISCUTER AVEC LES ÉLÈVES DES MOYENS QU'ILS PEUVENT UTILISER POUR FAIRE LEURS DEVOIRS EUX-MÊMES

1 Appeler un ami pour lui demander de l'aide ou des explications.

2 Faire les parties les plus faciles du devoir en premier. Cela donne de l'assurance pour aborder les tâches plus difficiles.

3 Demander de l'aide à leurs parents seulement en dernier recours, c'est-à-dire après avoir essayé soi-même, mais sans succès.

EXPLIQUER LE DEVOIR
(FEUILLE DE TRAVAIL 6, page 81)

1 Montrez aux élèves la *Feuille de travail 6*. Dites-leur de découper les étiquettes. Ils peuvent aussi en créer d'autres.

2 Demandez aux élèves de les mettre dans une boîte (ou une enveloppe) et de les placer dans leur trousse de survie.

3 Demandez aux élèves de rapporter à l'école une étiquette qu'ils auront créée eux-mêmes.

4 Faites bien comprendre aux élèves que les autres étiquettes leur serviront à identifier les devoirs qu'ils auront eu la satisfaction de faire eux-mêmes.

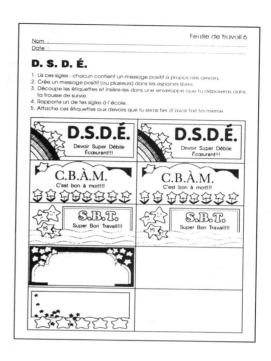

DONNER LA FEUILLE-CONSEILS 6 (page 91)

1 Discutez de cette feuille avec les élèves.

2 Lisez la feuille-conseils, si nécessaire.

3 Assurez-vous que les élèves apportent la feuille-conseils à la maison.

ASSURER LE SUIVI

1 Demandez aux élèves de présenter les sigles ou les acronymes qu'ils ont créés. Le reste de la classe essaiera de deviner leur signification.

2 Une fois que les élèves auront utilisé toutes leurs étiquettes, invitez-les à inscrire leurs sigles ou leurs acronymes directement sur leurs devoirs. Encouragez-les à utiliser ce système de renforcement tout au long de l'année.

Leçon 7
SE RÉCOMPENSER SOI-MÊME POUR LES DEVOIRS BIEN FAITS

PRINCIPE DE BASE ————— Il est toujours motivant de recevoir des félicitations. Mais les élèves peuvent aussi tirer satisfaction de leur travail et apprendre à se récompenser eux-mêmes pour leurs efforts.

BUT POURSUIVI ————— Les élèves choisiront des moyens de se récompenser pour leur succès dans leurs devoirs.

MATÉRIEL NÉCESSAIRE ————— Feuille de travail 7a, page 82.
Feuille-conseils 7, page 92.

MARCHE À SUIVRE ————— **PRÉSENTER L'IDÉE DE SE RÉCOMPENSER SOI-MÊME POUR UN BON TRAVAIL**

1 Mentionnez l'importance de se récompenser soi-même pour un travail dont on est fier.

2 Demandez aux élèves de donner des exemples d'occasions où ils se sont récompensés eux-mêmes pour leur travail. Quelle était la récompense? Comment se sont-ils sentis?

3 Pourquoi est-ce une bonne idée de se récompenser?

DISCUTER AVEC LES ÉLÈVES DE L'IDÉE DE SE RÉCOMPENSER SOI-MÊME POUR DES DEVOIRS RÉUSSIS

1 Demandez aux élèves de citer des occasions où ils pourraient se récompenser eux-mêmes.

Exemples:
– Quand je remets mes devoirs à temps;
– Quand je fais mes devoirs moi-même;
– Quand je garde ma trousse en ordre;
– Quand je fais mes devoirs sans rechigner.

2 Demandez aux élèves de suggérer des récompenses qu'ils sont capables de se donner eux-mêmes.

Exemples:
– Faire un tour de bicyclette;
– Me préparer une collation;
– Regarder mon émission préférée à la télé.

EXPLIQUER LE DEVOIR
(FEUILLE DE TRAVAIL 7, page 82)

1 Dites aux élèves que ce devoir les aidera à trouver des moyens de se récompenser.

2 Distribuez des exemplaires de la *Feuille de travail 7.*

3 Ils auront à y inscrire les récompenses qu'ils pourraient s'offrir eux-mêmes.

DONNER LA FEUILLE-CONSEILS 7 (page 92)

1 Discutez de cette feuille.

2 Lisez la feuille-conseils, si nécessaire.

3 Assurez-vous que les élèves l'apportent à la maison.

ASSURER LE SUIVI

1 Le jour suivant, ramassez la feuille de travail, puis remettez-la aux élèves. Demandez-leur de l'afficher dans leur espace de travail, à la maison, pour leur rappeler les moyens de se récompenser pour un bon travail.

2 Au cours de l'année, invitez de temps à autre les élèves à révéler le genre de récompenses qu'ils s'accordent pour un devoir bien fait.

Leçon 8

PLANIFIER LES PROJETS À LONG TERME

MOMENT DE CETTE LEÇON ⎯⎯⎯⎯ Juste avant de donner un devoir à long terme.

PRINCIPE DE BASE ⎯⎯⎯ Le devoir à long terme est souvent le travail le plus difficile à accomplir pour un élève. Le manque d'organisation et de planification de la part des élèves en est la principale cause.

BUT POURSUIVI ⎯⎯⎯ Les élèves utiliseront le plan de travail à long terme pour diviser le devoir en parties contenant chacune une échéance.

MATÉRIEL NÉCESSAIRE ⎯⎯⎯ Plan de travail à long terme, page 83.
Feuille conseils 8, page 93.

MARCHE À SUIVRE ⎯⎯⎯ **PRÉSENTER L'IDÉE DE DIVISER UN GROS TRAVAIL EN PETITES PARTIES**

1 Dites aux élèves qu'ils auront à faire un devoir à long terme. Dites-leur de quel genre de travail il s'agit: un rapport écrit, un résumé de livre, une étude en vue d'un test, etc.

2 Demandez aux élèves si, lors du dernier devoir à long terme, ils se sont sentis dépassés par l'envergure du projet ou bien s'ils ont été pris de panique juste avant l'échéance?

3 Dites aux élèves que vous leur enseignerez à planifier et à organiser leur travail. La clé du succès consiste à diviser le travail en petites parties contenant chacune une échéance.

DISCUTER AVEC LES ÉLÈVES DU PLAN DE TRAVAIL À LONG TERME

1 Expliquez le devoir avec précision et fixez une échéance.

2 Demandez aux élèves de nommer les étapes à suivre pour accomplir ce travail. Inscrivez ces étapes au tableau ainsi que l'échéance respective de chacune.

3 Ajoutez d'autres étapes au besoin.

4 Demandez aux élèves d'établir l'ordre des étapes.

Exemples

Étapes à suivre pour les rapports écrits

- Choisir un sujet;

- Faire une recherche;

- Déterminer les questions auxquelles vous voulez répondre;

- Prendre des notes;

- Faire une ébauche;

- Écrire le rapport final.

Étapes à suivre pour les résumés de livre

- Choisir un livre;

- Lire le livre en prenant des notes;

- Faire une ébauche;

- Écrire le résumé final.

Étapes à suivre pour préparer un examen

- Rassembler tout le matériel à étudier;

- Faire des fiches d'étude;

- Répondre aux questions à la fin des chapitres;

- Réviser.

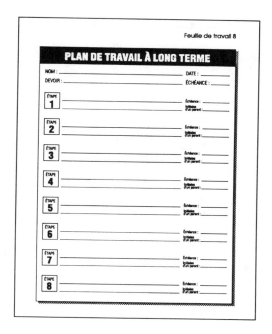

EXPLIQUER LE PLAN DE TRAVAIL À LONG TERME (FEUILLE DE TRAVAIL 8, page 83)

1 Distribuez un exemplaire du plan de travail à chaque élève.

2 Demandez aux élèves d'y inscrire les étapes du tableau avec les échéances.

3 Mentionnez l'importance de respecter chaque échéance.

4 Dites aux élèves d'apporter le plan de travail à la maison et d'en discuter avec leurs parents. Ces derniers devront signer le plan de travail à chaque étape terminée.

DONNER LA FEUILLE-CONSEILS 8 (page 93)

1 Discutez avec les élèves de cette feuille.

2 Lisez la feuille-conseils, si nécessaire.

3 Assurez-vous que les élèves apportent cette feuille à la maison.

ASSURER LE SUIVI

1 Affichez une liste des échéances dans la classe. Mentionnez que vous vérifierez les signatures des parents au terme de chacune des étapes.

2 Assurez le suivi en vérifiant le travail des élèves à la fin de chaque étape. S'ils ont respecté les échéances, louez leur bon travail et encouragez-les à continuer ainsi.

COMMENT DONNER DES DEVOIRS EFFICACES EN CINQ ÉTAPES?

Un devoir **n'est pas** efficace s'il est présenté en hâte aux élèves, juste avant la fin de la journée.

Un devoir **n'est pas** efficace s'il n'a pas comme objectif un apprentissage précis.

Un devoir **n'est pas** efficace s'il n'a aucun lien avec la matière vue en classe.

Un devoir **n'est pas** efficace si les élèves n'ont pas l'habileté nécessaire pour le faire de façon autonome.

Rappelez-vous que chaque fois que vous donnez un devoir, vous demandez à trois groupes de personnes — les élèves, leurs parents et vous-même — d'investir du temps et de l'énergie. Pour cette raison, il est important que les devoirs que vous donnez en valent la peine.

Qu'est-ce qui détermine si un devoir est efficace?

Un devoir n'est efficace que s'il se situe dans un *processus*. Ce processus des devoirs commence quand vous faites votre plan de cours pour la journée. C'est à ce moment que vous soulignez l'objectif du devoir que vous désirez donner. Le processus se poursuit quand vous déterminez le *type* de devoirs, quand vous le créez (ou le choisissez) et quand vous le présentez à la classe. Il ne s'achève que lorsque le devoir a été corrigé, commenté et remis aux élèves.

Chaque étape de ce processus est une composante vitale d'un devoir efficace

1re étape: Déterminer l'objectif d'apprentissage du devoir que vous voulez donner

2e étape: S'assurer que le devoir répond à l'objectif d'apprentissage

3e étape: Présenter le devoir aux élèves de façon claire et précise

4ᵉ étape: Suivre un plan pour recueillir les devoirs sans perte de temps

5ᵉ étape: Utiliser une variété de «raccourcis» pour la correction des devoirs

---

1ʳᵉ ÉTAPE: **Déterminer l'objectif d'apprentissage du devoir que vous voulez donner**

Avant de donner un devoir, posez-vous toujours la question: «Pourquoi est-ce que je donne ce devoir?»

Est-ce que votre objectif est de faire **réviser** des connaissances ou de **pratiquer** une habileté?

Est-ce que votre objectif est de **préparer** les élèves à un sujet qui sera prochainement abordé en classe?

Est-ce que votre objectif est de faire **utiliser**, dans de nouvelles situations, les habiletés ou les connaissances apprises en classe?

Est-ce que votre objectif est de favoriser **l'intégration d'une série d'habiletés** dans des projets à long terme?

Prendre le temps de déterminer l'objectif du devoir que vous voulez donner

- Assurez-vous que l'objectif en vaut vraiment la peine.
- Assurez-vous que l'objectif est approprié pour chaque élève.
- Choisissez le type de devoirs qui convient le mieux à l'objectif déterminé.

Note Le meilleur moment pour planifier les devoirs est lorsque vous faites votre plan de cours.

2ᵉ ÉTAPE: **S'assurer que le devoir donné répond à l'objectif d'apprentissage**

Votre objectif d'apprentissage déterminera le type de devoirs à donner. Généralement, les devoirs de quatrième, de cinquième et de sixième année font partie des quatre catégories suivantes:

Devoirs de révision

Devoirs de préparation

Devoirs d'approfondissement

Projets à long terme

Devoirs de révision
Objectif: Réviser la matière vue en classe

Les devoirs de révision sont les plus courants. Ne faites pas l'erreur de donner des devoirs de révision simplement pour en donner.

Gardez à l'esprit que votre but en donnant des devoirs de révision est de faire pratiquer, par les élèves, une habileté particulière enseignée en classe. Pour que le devoir soit efficace, l'élève doit être en mesure de déceler l'habileté en question.

Quand devez-vous donner des devoirs de révision?

Posez-vous les questions suivantes: Est-ce que les élèves ont *besoin* de pratiquer cette habileté? Est-ce qu'ils la maîtrisent déjà?

QUELQUES CONSEILS POUR DONNER DES DEVOIRS EFFICACES

- Ne donnez un devoir que si vous êtes certain que les élèves sont capables de le faire. Les parents ne doivent pas «enseigner» la matière à leur enfant.

- Si les élèves maîtrisent bien le contenu du devoir, il vaut mieux leur présenter de nouveaux défis. (En effet, pourquoi demander à un élève d'épeler 10 fois un mot qu'il sait déjà orthographier correctement?) D'autre part, si certains élèves éprouvent des difficultés vis-à-vis du contenu, les exercices ne feront que renforcer leurs erreurs.

- Comme il est quelquefois difficile de savoir qui a fait le devoir (maman, papa, une sœur ou l'élève lui-même), il peut être parfois utile de vérifier les apprentissages que l'élève a faits à l'aide d'une autre activité, un jeu-questionnaire par exemple.

- Ne cédez pas à la tentation de donner du travail à la dernière minute parce que vous n'avez pas eu le temps de planifier autre chose.

Quelques suggestions pour augmenter l'efficacité des devoirs de révision

Donner des exercices adaptés à vos élèves *et* aptes en même temps à hausser leur niveau de compétence ne requiert pas beaucoup plus de temps de préparation. Vous pouvez toujours utiliser les manuels scolaires ou des feuilles d'exercices supplémentaires. Cependant, c'est *votre façon* d'utiliser ces ressources qui en déterminera l'efficacité.

Voici quelques façons créatives d'utiliser les manuels scolaires et les cahiers d'exercices:

- Au lieu de donner le même devoir de 30 questions à tous les élèves, demandez à chacun de choisir 5 à 10 questions. Cela vous indiquera ce qu'ils sont capables de faire.

- Établissez un temps limite pour chaque élève et acceptez le nombre de problèmes que chacun peut faire en ce laps de temps. Obtenez la signature des parents à l'appui.

- Au lieu de faire tous les problèmes de la page, demandez aux élèves de faire les trois premiers, les trois du milieu et les trois derniers.

- Demandez aux élèves de faire quelques problèmes de mathématiques et ensuite demandez-leur d'en créer d'autres sur le même modèle.

- Demandez aux élèves d'employer les mots appris en épellation dans un poème ou une histoire.

- Demandez aux élèves de composer cinq questions se rapportant à un chapitre d'un livre.

- Après avoir lu une histoire, demandez aux élèves d'imaginer une autre conclusion pour celle-ci.

Devoirs de préparation
Objectif: Préparer les élèves à un sujet qui sera bientôt abordé en classe

---

Vous donnez ce genre de devoirs lorsque vous voulez que les élèves se préparent pour une nouvelle leçon. S'ils sont bien présentés, ces devoirs stimulent l'intérêt pour le thème à venir.

Exemples de devoirs de préparation

«Lisez, dans le journal, les articles concernant les prochaines élections. Énumérez trois sujets qui intéressent les candidats.»

«Lisez les pages 60 à 68 de votre livre de sciences. Préparez-vous à décrire le cycle de l'eau.»

«Regardez l'émission *Feu vert* à la télévision. Vous aurez à me nommer une mesure d'économie d'énergie que vous pouvez utiliser à la maison.»

Note Le but de ces devoirs est de trouver de l'information sur un sujet donné. Comme il s'agit d'une connaissance nouvelle, il est important de dire à l'élève pourquoi il doit faire cette recherche.

Quand devez-vous donner des devoirs de préparation?

Posez-vous la question suivante: Est-ce que ce devoir sera suivi d'un cours sur le sujet?

QUELQUES CONSEILS POUR DONNER DES DEVOIRS DE PRÉPARATION EFFICACES

- Soyez précis et assurez-vous que les élèves savent *pourquoi* ils font ce devoir.

- Le devoir doit *toujours* être suivi d'un cours sur le sujet.

- Utilisez une variété de sources d'information: magazines, télé, journaux, entrevues, etc.

Devoirs d'approfondissement
Objectif: Appliquer la matière vue en classe à de nouvelles situations

Le véritable apprentissage a lieu lorsque les élèves *appliquent* à d'autres situations les notions apprises en classe. Les devoirs d'approfondissement permettent d'effectuer ce transfert de connaissances.

Exemples de devoirs d'approfondissement

«Mesurez votre chambre. Calculez l'aire en mètres carrés.»

«Interviewez un adulte que vous connaissez. Demandez-lui de vous parler de...»

«Imaginez-vous que le personnage principal de l'histoire que vous avez lue aujourd'hui vient à la maison pour une journée. Que feriez-vous? De quoi parleriez-vous?»

«À la maison, triez les conserves et d'autres boîtes de nourriture en trois catégories. Quelles sont ces catégories? Pourquoi les avez-vous choisies?»

Quand devez-vous donner des devoirs d'approfondissement?

Posez-vous la question suivante: Est-ce que je pense à faire utiliser dans de nouvelles situations ce que les élèves ont appris?

QUELQUES CONSEILS POUR DONNER DES DEVOIRS D'APPROFONDISSEMENT EFFICACES

- Gardez à l'esprit que tous les sujets sont appropriés pour les devoirs d'approfondissement.
- Discutez avec les élèves des moyens d'appliquer à d'autres situations ce qu'ils ont appris.
- Donnez des devoirs d'approfondissement le plus souvent possible.
- Consultez les Modèles de devoirs créatifs au chapitre 7.

Projets à long terme
Objectif: Intégrer une série d'habiletés dans un projet à long terme

Les projets à long terme demandent à l'élève d'utiliser différentes habiletés dans la cueillette et l'organisation de l'information, dans sa reformulation, dans la gestion de son temps et dans la présentation de son projet.

Exemples de projets à long terme

Résumé de livre

Projet de sciences

Rapport écrit

Quand devez-vous proposer des projets à long terme?

Posez-vous la question suivante: Est-ce que je veux que mes élèves utilisent plusieurs habiletés dont la gestion du temps et la créativité?

QUELQUES CONSEILS POUR PROPOSER DES PROJETS À LONG TERME EFFICACES

- Dans un projet à long terme, le processus de préparation est aussi important que le projet lui-même.

- Il arrive que les élèves se sentent dépassés lorsqu'ils font face à un projet à long terme. Aidez-les à diviser le projet par étapes, en y incluant les échéances.

- Vérifiez le respect de ces échéances.

Directives additionnelles pour concevoir ou choisir des devoirs

Les élèves doivent être capables de faire le devoir

Avant de donner un devoir, vous devez vous assurer que les élèves possèdent les habiletés (et les ressources nécessaires) pour faire le travail seuls.

Les devoirs ne doivent pas être trop longs

Il n'est pas nécessaire de donner de longs devoirs. Gardez votre objectif en tête. Lorsque, par exemple, poser 10 questions suffit pour vérifier si les élèves ont compris ou non une notion, pourquoi en donner 30?

Les directives écrites doivent être claires et concises

Il n'y a rien de plus frustrant pour les élèves (et leurs parents) que des directives incompréhensibles. Formulez-les en fonction du niveau de compréhension de vos élèves.

Le temps des devoirs doit être consacré exclusivement à l'apprentissage

Ne faites pas perdre de temps à vos élèves à des tâches banales. Par exemple, ne leur imposez pas de transcrire des questions pour ensuite y répondre. Ils n'apprennent rien en recopiant. Demandez-leur plutôt de répondre aux questions par des phrases complètes. (Il en va de même pour les mots d'épellation que l'on fait recopier 10 fois.)

Les devoirs ne doivent pas servir de mesures disciplinaires

Il n'est jamais approprié de donner des devoirs comme punition. Rappelez-vous que le but des devoirs est d'aider à apprendre et que les élèves doivent y trouver de la satisfaction. Lorsque vous donnez des devoirs comme punition, vous ajoutez une touche amère qui risque de diminuer l'enthousiasme des élèves face au travail scolaire.

| **3e ÉTAPE:** | **Présenter le devoir aux élèves de façon claire et précise** |

La *façon* de présenter les devoirs aux élèves peut influencer leur efficacité autant que le type de devoirs que vous donnez.

Discutez toujours de l'objectif du devoir avec les élèves en disant: «Ce devoir vous apprendra (par exemple) à employer correctement les marques du pluriel...» Cette étape vous aidera aussi à vérifier si *votre* objectif est bien défini.

Donnez des directives claires et concises, oralement ainsi que par écrit. Ne donnez jamais un devoir sans explications et ne vous attendez pas à ce que les élèves se rappellent les directives que vous n'avez données qu'oralement. Vous pouvez expliquer le devoir oralement, mais vous devez aussi écrire les consignes, soit au tableau, soit sur la feuille de travail.

Écrivez les devoirs au même endroit chaque jour. Utilisez un espace du tableau (le coin des devoirs) et ne l'effacez qu'à la fin de la semaine. Ainsi, les élèves qui auront dû s'absenter le verront à leur retour.

Accordez toujours assez de temps pour permettre aux élèves de poser des questions sur le devoir. Ne tenez pas pour acquis qu'ils ont tout compris, simplement parce qu'ils n'ont pas posé beaucoup de questions. Pour vérifier leur compréhension, demandez-leur de répéter les directives dans leurs propres mots.

Si vous le jugez bon, présentez des exemples d'un devoir fait correctement pour montrer à quoi vous vous attendez. Ou encore, faites des diagrammes ou des schémas représentant le produit final.

Si vous le jugez bon, permettez aux élèves de commencer leur devoir en classe. De cette façon, si celui-ci pose quelques difficultés, vous pourrez en faire une partie avec eux.

Si vous jugez que cela peut convenir à vos élèves, faites la liste des devoirs de la semaine. De cette façon, les élèves pourront planifier eux-mêmes les différentes tâches et apprendre ainsi à gérer leur temps.

Révisez régulièrement, avec votre classe, le système de devoirs. Rappelez aux élèves comment vous comptez mettre en vigueur les mesures prévues pour les devoirs incomplets ou en retard. Soyez ferme et conséquent, particulièrement au début de l'année, au moment où vous établissez la discipline, et où certains élèves explorent les limites de votre système de devoirs.

Mettez l'accent, tout au cours de l'année, sur l'importance des devoirs. Dans la mesure du possible, recueillez et corrigez tous les devoirs donnés.

Autres suggestions

Établir une heure d'étude après la classe

C'est une solution idéale pour les élèves qui ne disposent pas d'un espace de travail à la maison.

Désigner une compagne ou un compagnon d'étude pour chaque élève

Dites aux élèves d'appeler leur compagne ou compagnon d'étude quand ils ont un problème avec leurs devoirs. Assurez-vous qu'ils échangent leurs numéros de téléphone.

Créer un système de dépannage par téléphone pour la classe ou pour toute l'école

Ce système est particulièrement utile aux enfants qui sont seuls à la maison après la classe et qui éprouvent certaines difficultés avec leurs devoirs.

4ᵉ ÉTAPE: Suivre un plan pour recueillir les devoirs sans perte de temps

Trouver des moyens efficaces de recueillir les devoirs, à tous les jours ou à la semaine, peut vous épargner du temps et de l'énergie lors de la correction. Les suggestions suivantes peuvent être adaptées à votre style personnel.

Demandez aux élèves de se fabriquer une chemise cartonnée identifiée à leur nom. Chaque élève doit ranger tous ses devoirs terminés dans cette chemise pour une vérification quotidienne ou hebdomadaire. Il ou elle peut la garder dans son pupitre ou dans un endroit désigné à l'intérieur de la classe.

Faites des chemises de couleurs différentes pour chaque jour de la semaine ou pour chaque matière. Les élèves seront responsables de mettre leurs devoirs dans la chemise appropriée.

Préparez une chemise sur laquelle sera inscrite la date de remise des devoirs de chaque jour ou de la semaine. Agrafez une copie de la liste de la classe à l'intérieur de la chemise. Vous cochez — ou les élèves le font — chaque travail remis à temps. Ainsi, vous pourrez récompenser immédiatement ceux qui auront respecté l'échéance et voir à ce que les autres subissent les conséquences prévues dans votre système de devoirs.

Aménagez un espace et utilisez des étiquettes de ruban-cache pour indiquer où mettre les devoirs. Vous aurez plus de chances ainsi de vous assurer que les devoirs seront déposés au bon endroit. Vous pouvez utiliser des boîtes vides.

Chaque semaine, désignez un élève de chaque rangée ou de chaque table pour recueillir les devoirs.

Recueillez les devoirs tous les jours, à la même heure. Par exemple, à la dernière sonnerie, tous les devoirs devraient être sur les pupitres, prêts à être remis; avant de quitter pour la bibliothèque, les devoirs doivent tous être placés dans les chemises réservées à cette fin.

5e ÉTAPE: Utiliser une variété de «raccourcis» pour la correction des devoirs

---

Les recherches indiquent qu'il est essentiel que vous recueilliez tous les devoirs et que vous y mettiez une note ou un commentaire. L'élève saura ainsi que chacun de ses devoirs est vérifié et évalué d'une façon ou d'une autre. Vous devez trouver des moyens efficaces de corriger les travaux des élèves afin de leur donner la rétroaction nécessaire et ainsi éviter l'épuisement associé à la correction.

Sachez que vous pouvez diminuer le temps de correction en variant le type de devoirs.

- Ceux dont la correction est facile par rapport à ceux dont la correction est difficile.

- Ceux que les élèves peuvent corriger eux-mêmes par rapport à ceux que vous, ou un correcteur, devez corriger.

- Ceux que vous devez noter par rapport à ceux qui requièrent des commentaires.

Informez les élèves et les parents de vos techniques de correction

- Tous les devoirs seront notés ou commentés.
- Occasionnellement, les commentaires porteront sur un critère seulement du devoir.
- Occasionnellement, vous ferez une vérification rapide du devoir.

Les techniques suivantes feront des devoirs une expérience positive pour chaque personne concernée

Attention Ces techniques doivent être utilisées une fois que les élèves auront développé de bonnes habitudes de travail (*voir le chapitre 3, Comment enseigner aux élèves à faire leurs devoirs de façon responsable?*).

Choisissez des questions à corriger au hasard et faites une vérification rapide des autres.

Choisissez des questions clés à corriger et faites une vérification rapide des autres.

Sélectionnez un ou deux critères à commenter (exemple: les verbes dans un rapport écrit).

Donnez des devoirs que les élèves peuvent corriger eux-mêmes.

La règle n° 1 de la correction

Si possible, commentez toujours de **façon positive** les devoirs des élèves. Les commentaires positifs sont les plus efficaces! Agir ainsi montre aux élèves que leur travail est assez important pour que vous preniez le temps de l'évaluer.

Conclusion

Somme toute, il est clair que le processus des devoirs exige un engagement de la part de toutes les personnes concernées. Votre part de l'engagement consiste à donner des devoirs d'une façon efficace.

Chapitre 5

COMMENT MOTIVER VOS ÉLÈVES À FAIRE LEURS DEVOIRS?

Les bonnes notes suffisent généralement à motiver à faire leurs devoirs les élèves qui se sentent bien à l'école et qui ont du soutien à la maison. Quant aux autres, il vous faudra trouver une autre façon de les motiver. Votre atout le plus puissant est le renforcement positif.

Reconnaître et récompenser un bon comportement encouragent les élèves à continuer dans ce sens. Il y a en effet plus de probabilités qu'ils fassent leurs devoirs lorsque vous les félicitez pour du travail fait selon vos attentes que dans le cas contraire. Un simple «Merci d'avoir remis ton devoir à temps» peut avoir beaucoup d'effet.

Le renforcement positif peut modifier un comportement. Certains élèves ne font pas régulièrement leurs devoirs. Accordez-leur une attention toute spéciale quand ils les font. Ou gratifiez-les d'un privilège. Il arrive souvent que ces élèves recherchent de l'attention. Ainsi, assurez-vous qu'ils en aient davantage quand ils font leurs devoirs, et moins quand ils ne les font pas.

Grâce à vos encouragements, les élèves auront davantage confiance en leurs capacités. À mesure que vous leur permettrez d'augmenter leur confiance en eux et l'image positive qu'ils se font d'eux-mêmes, ils feront davantage leurs travaux eux-mêmes et de leur mieux.

Les objectifs du renforcement positif

Le renforcement doit être:

- Une chose que les élèves aiment;
- Une chose qui vous convient;
- Une chose utilisée de manière conséquente.

Ne sous-estimez pas les effets du renforcement positif. Pour certaines raisons (tels le milieu familial ou des expériences antérieures à l'école), il arrive qu'un élève sollicite votre considération. Vos commentaires positifs auront un effet sur la confiance de cet élève en lui-même et sur ses chances de réussite à l'école.

Renforcement positif utilisé individuellement

Les éloges

- Les éloges doivent être spécifiques. Par exemple, «Jean, ta description de la tempête, dans ton histoire, était extraordinaire. Je pouvais presque sentir le vent sur ma peau» **est préférable à** «Bon travail, Jean.»
- Les éloges doivent être utilisés de manière conséquente.
- Émettez vos commentaires sur le contenu d'un devoir plutôt que sur sa présentation.
- Il est préférable de complimenter en privé les élèves plus âgés de façon à ne pas les gêner devant leurs pairs.

Les commentaires positifs sur un devoir terminé

Utilisez des notes positives sur les devoirs des élèves plus difficiles à motiver.

Quand vous vérifiez leurs devoirs:

- Posez des autocollants, des bonshommes-sourires, etc.;
- Écrivez des commentaires positifs tout au long du devoir.

Très souvent, des mots de félicitations de votre part ont plus d'effet qu'une bonne note. En effet, l'élève se sent valorisé par votre encouragement et cela lui donne confiance en lui-même.

Notes positives aux parents (annexes, pages 95 et 96)

Les élèves adorent ce genre de notes. De plus, si les parents assument leur rôle de soutien dans le processus des devoirs, ils apprécieront de savoir que leurs efforts n'ont pas été vains.

Quand envoyer des notes positives aux parents?

- Utilisez ces notes plusieurs fois par semaine.
- Soyez spécifique dans vos éloges: «Louise a bien suivi les consignes, cette semaine. Vous pouvez être fiers d'elle.»

Établir une bonne relation avec les parents vous facilitera la tâche lorsque vous devrez prendre contact avec eux au sujet d'un problème. Les notes positives que vous leur envoyez signifient que vous avez le succès de leur enfant à cœur.

Registre individuel des devoirs

Cette méthode de renforcement permet à chaque élève d'accumuler des points en vue d'une récompense, chaque fois qu'il termine un devoir.

- Placez un carton devant le pupitre de chaque élève. Divisez ce carton en 10 ou 20 cases.

- Chaque fois qu'un devoir est terminé, mettez un crochet ou un autocollant dans l'une des cases.

- Quand toutes les cases sont remplies, l'élève obtient une récompense: temps libre, certificat de mérite, congé de devoir, etc.

Renforcement positif pour la classe entière

Voici de bonnes idées pour la mise en œuvre d'un programme de renforcement positif pour l'ensemble de la classe. Ce sont des façons de faire que les enseignants ont trouvé amusantes et efficaces.

Tableau d'affichage pour exposer les devoirs

En exposant les devoirs, vous rappelez à la classe l'importance que vous leur accordez. Vous offrez ainsi un renforcement positif pour les devoirs bien faits. Tous les élèves aiment voir leurs beaux travaux exposés à la vue de tous. Quand vous utilisez un tableau d'affichage pour les devoirs:

- Dites, au moment où vous présentez votre système de devoirs à vos élèves, comment vous comptez utiliser ce tableau (pour afficher le meilleur devoir de chaque rangée, etc.).

- Faites une rotation des devoirs à toutes les semaines pour permettre au plus grand nombre d'enfants possible d'exposer leur travail.

Graphique des devoirs

Une autre méthode pour utiliser le renforcement positif pour toute la classe est d'afficher un graphique des devoirs. Ce graphique contient la liste de tous les élèves ainsi que des cases à cocher lorsque ceux-ci remettent leurs devoirs à temps. Lorsque le nom de tous les élèves a été coché, pour un devoir, la classe gagne un point. Lorsque la classe aura obtenu un certain nombre de points (5 ou 10), les élèves auront droit à une récompense. Cette méthode se base sur la pression que les pairs exercent sur chacun. Voici son mode d'utilisation.

- Quand tous les élèves remettent leur devoir, la classe gagne un point.

- Lorsqu'on atteint un certain nombre de points, toute la classe mérite une récompense: temps libre, maïs éclaté ou récréation prolongée.

- Offrez la récompense aussitôt que possible.

Le graphique des devoirs vous permet aussi de garder un registre des devoirs terminés ou non. Puisque ce graphique s'échelonne sur plusieurs semaines, cela vous permet de voir si, par exemple, les élèves ont plus de difficulté à faire leurs devoirs certains jours plus que d'autres.

Loterie des devoirs

Il s'agit ici de donner l'occasion aux élèves qui ont terminé leurs devoirs de gagner à un tirage.

- Les élèves écrivent leur nom aux coins supérieurs gauche et droit de leur feuille de devoir.

- Quand tous les élèves ont remis leur travail, vous déchirez les coins supérieurs droits de toutes les feuilles et vous les déposez dans une boîte.

- À la fin de la semaine, vous tirez au hasard un ou deux noms. Les gagnants obtiennent un temps libre, un congé de devoir, etc.

Conclusion

Le renforcement positif est l'instrument le plus efficace dont vous puissiez disposer pour assurer le succès de vos élèves. Vu son importance, vous ne pouvez l'utiliser au hasard. En plus d'écrire des commentaires positifs sur les devoirs de vos élèves, faites parvenir deux notes positives aux parents chaque jour.

Non seulement ces notes motiveront-elles vos élèves à faire leurs devoirs, mais elles permettront aussi d'entretenir une bonne relation entre vous et les parents. La clé du succès, quant aux devoirs, est de reconnaître et de récompenser les efforts de toutes les personnes engagées dans le processus.

Chapitre 6

QUE FAIRE QUAND LES ÉLÈVES NE TERMINENT PAS LEURS DEVOIRS?

Lorsque, malgré toutes les solutions déjà proposées, certains élèves ne terminent pas leurs devoirs, vous devez agir. Vous devez trouver un moyen d'aider ces élèves à réussir. Y a-t-il des circonstances indépendantes de leur volonté qui les empêchent de faire leurs devoirs?

Certains élèves peuvent être gênés de vous dire qu'ils n'ont pas pu faire leurs devoirs parce qu'ils n'ont personne à la maison pour les aider ou parce que l'atmosphère y est insupportable. Si vous croyez qu'il y a un problème, vous devez entrer en relation avec les parents.

Quelques questions avant d'agir

- Avez-vous bien expliqué les devoirs? Sont-ils appropriés au niveau de scolarité de l'enfant? Celui-ci possède-t-il les habiletés nécessaires pour réussir son travail?

- Êtes-vous certain que l'élève n'a pas un problème d'apprentissage?

- Êtes-vous certain que le climat à la maison n'a pas changé dernièrement? (Par exemple, une élève montre qu'elle a l'habileté nécessaire pour faire un travail en classe, mais elle n'y arrive pas à la maison.)

- Est-ce que vous recueillez et vérifiez les devoirs régulièrement?

- Est-ce que vous utilisez le renforcement positif régulièrement?

Si vous avez répondu «oui» à toutes ces questions et que vous avez encore des élèves qui ne font pas leurs devoirs, vous pouvez essayer les techniques présentées dans ce chapitre.

1ʳᵉ PARTIE: CE QUE VOUS POUVEZ FAIRE EN CLASSE POUR REMÉDIER AU PROBLÈME DES DEVOIRS

De nombreuses techniques sont à votre disposition pour régler le problème. Quelles que soient les techniques que vous choisirez, faites un contrôle des devoirs qui sont terminés et de ceux qui ne le sont pas. La plupart des enseignants utilisent un registre. Ayez-le sous la main lorsque vous devez prendre contact avec les parents. Prenez note aussi des messages que vous enverrez aux parents ainsi que de toute forme de mesure disciplinaire (retenue, etc.) prise envers l'élève.

Les mesures disciplinaires que vous prendrez:

- Doivent être décrites dans votre système de devoirs;
- Doivent vous convenir;
- Doivent pouvoir s'appliquer uniformément à tous les élèves.

Carnet de devoirs

Les élèves doivent inscrire leurs devoirs dans un carnet de devoirs. Ils doivent l'apporter à la maison, le soir, et le rapporter le lendemain matin. Les parents doivent signer ce carnet chaque fois qu'un devoir est terminé.

Baisser la note de l'élève

Plusieurs enseignants baissent la note de l'élève, pour un travail ou pour la matière en général, dans le but de le motiver à faire davantage d'efforts. Or, si l'élève sent qu'il va échouer de toute façon, cette méthode ne pourra être efficace pour l'encourager à reprendre la bonne voie. Dans un tel cas, prévenez les parents avant de donner une note d'échec à l'élève.

Supprimer la récréation ou l'heure de dîner

Vous pouvez supprimer la récréation ou l'heure de dîner pour permettre à l'élève de faire ses devoirs.

Si vous utilisez cette technique, assurez-vous que:

- L'élève fait ses devoirs lui-même;
- La règle du silence est respectée;
- L'élève ne reçoit pas l'aide d'une autre enseignante ou d'un surveillant.

Note Si un élève passe toutes ses récréations ou ses heures de dîner à faire ses devoirs, cela peut indiquer qu'il y a un problème à la maison. Si c'est ce que vous soupçonnez, entrez en relation avec les parents.

2e PARTIE: CE QUE LES PARENTS PEUVENT FAIRE À LA MAISON POUR REMÉDIER AU PROBLÈME DES DEVOIRS

Souvent, les parents ne savent pas quoi faire pour que leurs enfants fassent leurs devoirs. Vous devez donc leur fournir les connaissances et les techniques nécessaires. Rappelez-vous que tous les parents souhaitent que leurs enfants aient du succès. Plus vous aidez les parents, plus ils seront en mesure d'aider leurs enfants.

Les feuilles-ressources suivantes aideront les parents à solutionner les sept principaux problèmes.

Feuille-ressources 5

Pour les parents de _____

Si votre enfant ne veut pas faire ses devoirs sans aide, vous devez vous assurer qu'il fait des efforts pour travailler seul. S'il insiste pour que vous soyez à ses côtés constamment, alors vous devez suivre les étapes suivantes.

Voici ce que vous devez faire si votre enfant ne veut pas travailler seul.

1 Énoncez clairement vos attentes.
«Je m'attends à ce que tu fasses tes devoirs sans aide. Je ne serai pas constamment à tes côtés et je ne ferai pas tes devoirs à ta place.»

2 Félicitez votre enfant lorsqu'il travaille seul.
Lorsque vous voyez que votre enfant travaille seul, félicitez-le et encouragez-le à continuer.

3 Aidez votre enfant à prendre de l'assurance.
Si votre enfant se décourage devant un gros devoir à faire, essayez la méthode qui consiste à diviser le travail par blocs. Par exemple, 20 problèmes de mathématiques peuvent être séparés en 5 blocs de 4. Récompensez votre enfant chaque fois qu'il aura terminé un bloc, jusqu'à la fin du devoir.

4 Aidez votre enfant seulement s'il a fait des efforts pour trouver la solution.
Assurez-vous que votre enfant a essayé au moins deux fois de trouver la solution lui-même avant de l'aider.

5 Offrez des récompenses, si nécessaire.
Une autre méthode consiste à utiliser le troc. Pour ce faire, placez un bol de bonbons (ou autre) près de votre enfant et dites-lui: «Chaque fois que tu me demanderas de l'aide pour ton devoir, tu devras me donner un de tes bonbons. Quand tu n'en auras plus, je ne t'aiderai plus. S'il t'en reste à la fin des devoirs, tu pourras les manger.»

Feuille-ressources 5

6 Appuyez vos paroles par des actes.
Si les méthodes précédentes échouent, soyez ferme. Assurez-vous que votre enfant sait qu'il n'aura aucune aide après l'heure des devoirs et qu'il devra tout de même faire ses devoirs, quitte à y passer la soirée.

Ces feuilles-ressources précisent que les parents doivent:

1 Définir clairement et fermement leurs attentes en ce qui concerne leur enfant.

2 Établir une heure obligatoire de devoirs et supprimer des privilèges si l'enfant refuse de faire ses devoirs.

3 Offrir du soutien et de l'encouragement quand le devoir est bien fait.

4 Appuyer leurs paroles par des actes.

5 Entrer en relation avec l'enseignant ou l'enseignante si toutes ces méthodes échouent.

Comment utiliser les feuilles-ressources?

- Lorsque vous décelez des problèmes en regard des devoirs, prenez contact avec les parents par téléphone ou organisez une rencontre.

- Discutez du problème avec les parents.

- Choisissez la feuille-ressources appropriée et expliquez-la aux parents. Cette feuille ne doit pas représenter une menace. Assurez-vous que les parents comprennent bien les étapes qu'ils doivent suivre.

- Assurez un suivi avec les parents. Fixez-vous une heure (dans la semaine qui suivra) afin de déterminer si la stratégie est efficace ou s'il faudra mettre en place d'autres mesures.

Conclusion

Somme toute, quand vous avez affaire à des élèves qui ont de la difficulté à faire leurs devoirs, le renforcement positif demeure la technique la plus efficace que vous puissiez utiliser. Félicitez-les et soulignez chacune des occasions où ils vous remettent un devoir bien fait. Si les bonnes mentions et les récompenses ne fonctionnent pas, employez d'autres techniques telles que celles qui sont suggérées dans ce chapitre. Les élèves doivent comprendre qu'il est inacceptable de négliger leurs devoirs. Quelles que soient les techniques utilisées, elles doivent être appliquées rigoureusement.

Chapitre 7
MODÈLES DE DEVOIRS CRÉATIFS

On trouve, dans la plupart des manuels scolaires, des devoirs d'exercices et de révision. Cependant, le véritable apprentissage (et le plus stimulant) a lieu quand vient le temps d'appliquer les notions apprises en classe à d'autres situations. Faire leurs devoirs à la maison fournit aux élèves l'occasion parfaite d'élargir leurs apprentissages.

Vous trouverez, dans ce chapitre, une série de modèles de devoirs créatifs. Ceux-ci présentent une variété de formules pour les devoirs d'approfondissement. Vous suggérez un thème auquel les élèves doivent appliquer ce qu'ils ont appris. La même formule peut s'adapter à différentes matières, en modifiant les détails particuliers à chacune.

Exemples de devoirs créatifs

Un exemple en français

Un exemple en sciences

Un exemple en français

Un exemple en sciences humaines

Chaque modèle de devoir créatif est conçu comme un prolongement de l'apprentissage qui prend ainsi pour l'élève une signification en dehors du contexte de la classe. Les exemples reproductibles de chacun de ces modèles se trouvent aux pages 109 à 116.

Les modèles de devoirs créatifs inclus dans ce chapitre

Modèle 1:   Interview

Modèle 2:   Divise en étapes

Modèle 3:   Évalue différentes opinions

Modèle 4:   Imagine-toi à la place d'une autre personne

Modèle 5:   Raconte ce que tu as appris en classe

Modèle 6:   Utilise des objets pour illustrer ce que tu as appris

Modèle de devoir créatif 1
INTERVIEW

Cette feuille de travail a pour objet de motiver les élèves à recueillir de l'information (faits, sentiments, opinions, anecdotes) auprès des membres de leur famille sur des sujets étudiés en classe.

AVANT DE COMMENCER

Faites une copie du modèle 1 (page 111) pour chaque élève de la classe. Ajoutez vos consignes dans les espaces appropriés. Reproduisez cette feuille pour tous vos élèves.

EXPLIQUEZ LE DEVOIR AUX ÉLÈVES

Les élèves doivent interviewer une personne à la maison sur un sujet donné. Encouragez-les à utiliser les questions: qui, quoi, quand, où et pourquoi.

CHAMP D'APPLICATION

Cette activité peut s'adapter facilement à différentes matières. Voici quelques exemples.

Français

Interviewe quelqu'un pour connaître:

— son opinion sur une émission de télé,

— son opinion sur un livre,

— ses réactions à propos de sujets ou d'événements (par exemple les serpents, les fêtes d'anniversaire, les situations farfelues, etc.),

— l'histoire de son enfance.

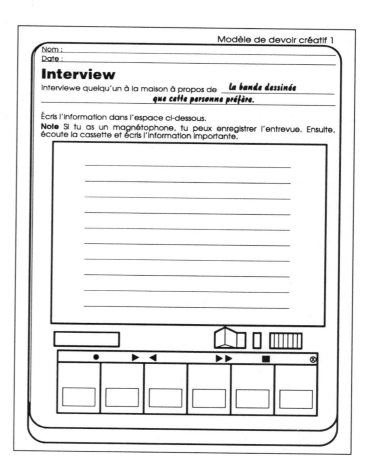

Sciences

Interviewe quelqu'un pour connaître:

- le fonctionnement des appareils domestiques,

- ce qu'il faut faire lors d'une situation d'urgence,

- son opinion sur les inventions récentes,

- son opinion sur les plus importantes inventions des 5, 10 ou 20 dernières années,

- son opinion sur une question environnementale.

Sciences humaines

Interviewe quelqu'un pour connaître:

- son arbre généalogique,

- son pays d'origine,

- ses traditions familiales,

- un pays visité par un membre de sa famille,

- son opinion sur un événement survenu dans un autre pays,

- son opinion sur les prochaines élections.

Modèle de devoir créatif 2

DIVISE EN ÉTAPES

Cette feuille de travail a été conçue de façon à encourager les élèves à dessiner ou à écrire les étapes d'une activité dans une suite logique.

AVANT DE COMMENCER

Faites une copie du modèle 2 (page 112). Ajoutez vos consignes dans les espaces appropriés. Encerclez «Dessine ou écris». Reproduisez cette feuille pour tous vos élèves.

EXPLIQUEZ LE DEVOIR AUX ÉLÈVES

Expliquez aux élèves ce que signifie «dessiner ou écrire les étapes» d'une activité spécifique. Donnez un exemple au tableau.

Préparer une fête d'anniversaire:

- acheter les cartes d'invitations,
- expédier les invitations,
- planifier des jeux,
- acheter des surprises,
- préparer un gâteau,
- décorer la maison.

CHAMP D'APPLICATION

Ce modèle peut être utilisé dans plusieurs matières. Voici quelques exemples.

Français

Dessine ou écris les étapes qui montrent:

- ce qui est arrivé au début, au milieu et à la fin d'une histoire,
- comment organiser et écrire une lettre,
- comment emprunter un livre à la bibliothèque.

Nom : _____
Date : _____   Modèle de devoir créatif 2

Divise en étapes

Dessine ou écris les étapes pour *organiser et écrire*
une lettre.   Divise en __6__ étapes.

Sciences

Dessine ou écris les étapes qui montrent:

- comment nous entendons les sons,

- le procédé de la photosynthèse,

- comment le sang circule dans le corps,

- comment la digestion se fait,

- comment un fossile est formé.

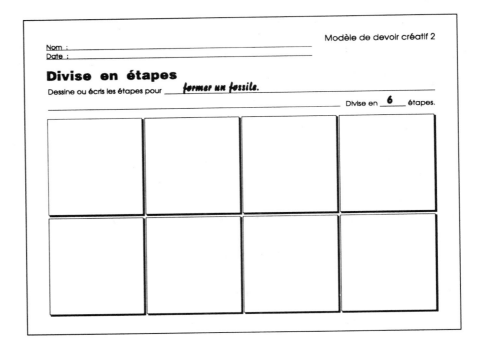

Sciences humaines

Dessine ou écris les étapes qui montrent:

- la façon de fabriquer la maquette d'une région,

- le trajet d'un navire de Montréal à Gaspé,

- le trajet d'un navire de Montréal à Gaspé, il y a 200 ans,

- la route pour se rendre en Ontario,

- la fabrication du papier.

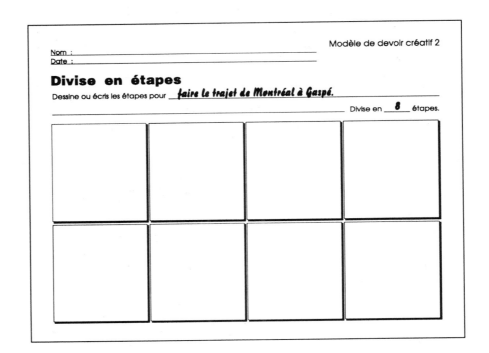

Modèle de devoir créatif 3

ÉVALUE DIFFÉRENTES OPINIONS

Cette feuille de travail a été conçue dans le but d'amener les élèves à réfléchir aux différentes facettes d'une question avant de se faire leur propre opinion et de prendre position.

AVANT DE COMMENCER

Faites une copie du modèle 3 (page 113). Ajoutez vos consignes dans les espaces appropriés. Reproduisez cette feuille pour tous vos élèves.

EXPLIQUEZ LE DEVOIR AUX ÉLÈVES

Donnez des exemples au tableau.

CHAMP D'APPLICATION

Ce modèle peut être utilisé dans plusieurs matières. Voici quelques suggestions.

Français

Donne deux avantages et deux désavantages:

– de posséder son téléphone personnel,

– de posséder son téléviseur personnel,

– d'avoir des animaux de compagnie,

– d'aller à l'école à longueur d'année.

Sciences/Hygiène

Donne deux avantages et
deux désavantages:

— des voyages dans l'espace,

— des changements d'heure saisonniers,

— d'un règlement sur l'environnement,

— des centrales nucléaires,

— de l'obligation de porter la ceinture
de sécurité.

Sciences humaines

Donner deux avantages et
deux désavantages:

— d'un règlement municipal spécifique,

— d'une loi nationale,

— d'une loi historique.

Modèle de devoir créatif 4

IMAGINE-TOI À LA PLACE D'UNE AUTRE PERSONNE

Cette feuille de travail a pour but d'inviter les élèves à incarner différents rôles inspirés de personnages réels ou imaginaires, d'héroïnes ou de héros tirés des lectures faites à l'intérieur du cours de sciences humaines par exemple.

AVANT DE COMMENCER

Faites une copie du modèle 4 (page 114). Ajoutez vos consignes dans les espaces appropriés. Reproduisez cette feuille pour tous vos élèves.

EXPLIQUEZ LE DEVOIR AUX ÉLÈVES

Demandez aux élèves de fermer les yeux et de s'imaginer dans la peau d'une personne en particulier. Comment se sentent-ils? Que pensent-ils? À quoi ressemblent-ils? Suggérez aux élèves d'essayer cette technique avant de faire leur devoir.

CHAMP D'APPLICATION

Ce modèle peut être utilisé dans plusieurs matières. Voici quelques exemples.

Français

Imagine que:

- tu invites un personnage de bandes dessinées à la maison,
- tu choisis un personnage de bandes dessinées comme ami.

Sciences

Imagine que:

— tu es Albert Einstein,

— tu es toi-même plus tard (adulte).

Sciences humaines

Imagine que:

— tu visites un nouveau pays,

— tu voyages dans le temps.

Modèle de devoir créatif 5

RACONTE CE QUE TU AS APPRIS EN CLASSE

Cette feuille de travail a été conçue pour favoriser le dialogue entre parents et enfants à propos de sujets étudiés en classe. Ceci a pour but de faire ressortir différents points de vue sur un sujet donné.

AVANT DE COMMENCER

Faites une copie du modèle 5 (page 115). Ajoutez vos consignes dans les espaces appropriés. Reproduisez cette feuille pour tous vos élèves.

EXPLIQUEZ LE DEVOIR AUX ÉLÈVES

Demandez à des volontaires de vous donner des exemples de choses qu'ils ont apprises en classe. Mentionnez qu'une fois qu'ils auront trouvé leur sujet, ils devront l'expliquer sur la feuille de travail.

CHAMP D'APPLICATION

Ce modèle peut être utilisé dans plusieurs matières. Voici quelques exemples.

Français

Raconte à quelqu'un de la maison trois choses que tu as apprises:

– sur la façon d'utiliser une encyclopédie,

– sur la façon d'emprunter un livre à la bibliothèque.

Nom :

Date :

Modèle de devoir créatif 5

Raconte à tes parents ce que tu as appris en classe

Présente à tes parents trois faits au sujet de _____
du système Dewey.

Première partie
Écris trois faits que tu leur apprendras.

1 _____

2 _____

3 _____

Deuxième partie
Planifie l'organisation de ta présentation. Feras-tu une présentation orale, ou avec graphiques, ou bien une lecture? Demanderas-tu à tes parents de prendre des notes? Écris comment tu vas procéder.

_____

Troisième partie
Pose trois questions qui te permettront de vérifier si tes parents ont bien compris la leçon.

Question 1 _____

Question 2 _____

Question 3 _____

Copie ces questions à l'endos de cette feuille. Ce sera l'examen de tes parents.

Quatrième partie
Présente ta leçon, puis demande à tes parents de répondre à tes questions.

Sciences/Hygiène

Raconte à quelqu'un à la maison trois choses que tu as apprises:

— sur l'hygiène dentaire,

— sur la façon dont voyagent les sons,

— sur la latitude et la longitude,

— sur la photosynthèse,

— sur la sécurité en bicyclette.

Modèle de devoir créatif 5

Nom :

Date :

Raconte à tes parents ce que tu as appris en classe

Présente à tes parents trois faits au sujet de _____
la façon dont voyagent les sons.

Première partie
Écris trois faits que tu leur apprendras.

1

2

3

Deuxième partie
Planifie l'organisation de ta présentation. Feras-tu une présentation orale, ou avec graphiques, ou bien une lecture? Demanderas-tu à tes parents de prendre des notes? Écris comment tu vas procéder.

Troisième partie
Pose trois questions qui te permettront de vérifier si tes parents ont bien compris la leçon.

Question 1

Question 2

Question 3

Copie ces questions à l'endos de cette feuille. Ce sera l'examen de tes parents.

Quatrième partie
Présente ta leçon, puis demande à tes parents de répondre à tes questions.

Sciences humaines

Raconte à quelqu'un à la maison trois choses que tu as apprises:

— sur les ressources naturelles de ton pays,

— sur un événement historique,

— la vie des colons.

Modèle de devoir créatif 5

Nom :

Date :

Raconte à tes parents ce que tu as appris en classe

Présente à tes parents trois faits au sujet de _____
la vie des colons.

Première partie
Écris trois faits que tu leur apprendras.

1

2

3

Deuxième partie
Planifie l'organisation de ta présentation. Feras-tu une présentation orale, ou avec graphiques, ou bien une lecture? Demanderas-tu à tes parents de prendre des notes? Écris comment tu vas procéder.

Troisième partie
Pose trois questions qui te permettront de vérifier si tes parents ont bien compris la leçon.

Question 1

Question 2

Question 3

Copie ces questions à l'endos de cette feuille. Ce sera l'examen de tes parents.

Quatrième partie
Présente ta leçon, puis demande à tes parents de répondre à tes questions.

Modèle de devoir créatif 6

UTILISE DES OBJETS POUR ILLUSTRER CE QUE TU AS APPRIS

Cette feuille de travail a été conçue pour encourager la créativité chez les élèves. Il s'agit de leur demander de trouver à la maison des objets simples avec lesquels ils pourront construire des modèles réduits pour concrétiser des choses apprises en classe.

AVANT DE COMMENCER

Faites une copie du modèle 6 (page 116). Ajoutez vos consignes dans les espaces appropriés. Reproduisez cette feuille pour tous vos élèves.

EXPLIQUEZ LE DEVOIR AUX ÉLÈVES

Demandez aux élèves de regarder les objets sur le modèle 6. Précisez qu'ils peuvent trouver ce genre d'objets n'importe où dans leur environnement. Ils devront ensuite les utiliser pour illustrer le devoir demandé.

CHAMP D'APPLICATION

Ce modèle peut être utilisé dans plusieurs matières. Voici quelques exemples.

Français

Utilisez des objets pour fabriquer:

- quelque chose d'intéressant à regarder, puis donne-lui un nom et écris une histoire à son sujet,

- le décor d'une scène décrite dans un livre,

- quelque chose d'inhabituel, de beau ou d'amusant, puis décris l'objet ainsi fabriqué.

Sciences

Utilise des objets pour fabriquer:

- un modèle réduit du système solaire,

- une maquette illustrant les couches terrestres,

- quelque chose qui avance, un levier, un appareil pour remorquer.

Sciences humaines

Utilise des objets pour fabriquer:

- un montage représentant une ville, un village ou une ferme,

- une maquette d'un moyen de transport, du relief d'une région.

CONCLUSION

Il ne fait aucun doute que les devoirs prennent une part significative dans le processus éducatif, et cela pour toutes les personnes qui y sont engagées. Ils contribuent à développer chez les élèves de bonnes techniques d'étude, l'autonomie et le sens des responsabilités. Les devoirs permettent aux parents de participer à l'éducation de leur enfant. Quant à vous, enseignant ou enseignante, les devoirs renforcent les notions que vous présentez en classe.

Vous seul détenez la clé de ces réussites potentielles. En effet, il sera impossible de mettre en valeur tous les aspects positifs des devoirs si ceux que vous donnez ne sont pas appropriés. Tout dépend de l'attention que vous mettrez quotidiennement à vous assurer que chaque devoir est significatif et approprié. C'est seulement grâce à vos efforts que vous, vos élèves et leurs parents pourrez tirer profit de devoirs qui auront été faits avec soin, de manière responsable... et sans verser de larmes.

ANNEXES À REPRODUIRE

FEUILLES DE TRAVAIL POUR LES ÉLÈVES

Nom : _____

Date : _____

Mot caché

Trouve et encercle les mots DÉPÔT, DES, DEVOIRS et HABITUDE dans la grille ci-dessous. Ces mots peuvent apparaître verticalement, horizontalement ou diagonalement. Chacun de ces mots s'y retrouve quatre fois.

```
H  T  D  B  A  H  A  B  I  T  U  D  E  T  L  N
B  E  R  T  W  O  M  S  H  O  M  E  W  O  R  K
S  C  M  I  F  M  G  G  D  R  O  V  S  P  O  T
K  L  D  E  V  O  I  R  S  S  H  O  A  E  H  S
R  D  T  T  W  W  L  M  C  D  P  I  H  D  A  W
S  R  I  O  V  E  D  W  H  I  B  R  M  Q  B  V
D  O  P  B  Z  R  E  T  M  O  L  S  T  I  I  U
E  P  E  A  G  K  P  S  H  L  D  E  P  O  T  H
P  N  D  H  I  V  O  S  E  B  H  E  R  R  U  A
O  T  T  R  A  E  T  P  B  D  R  A  W  Z  D  B
T  M  M  R  O  B  G  O  A  Z  R  I  B  O  E  I
J  K  A  L  U  P  I  T  T  V  M  O  N  I  R  T
M  Z  U  G  S  L  T  T  R  S  S  E  P  A  T  U
A  H  O  M  E  W  O  R  U  D  E  S  P  H  L  D
I  S  P  E  D  U  T  I  B  D  H  R  T  O  P  E
S  R  I  O  V  E  D  K  R  O  E  E  M  O  H  I
```

Le X indique le DÉPÔT DES DEVOIRS!

Lorsque tu auras terminé le mot caché, affiche cette feuille au Dépôt des devoirs à la maison pour au moins un mois, afin de te rappeler de toujours déposer tes devoirs terminés au même endroit, tous les soirs.

Nom : _____

Date : _____

Mon espace de travail

Dans l'espace ci-dessous, illustre l'espace de travail que tu as choisi à la maison. Ensuite, complète les phrases au bas de la feuille.

Mon espace de travail sera _____

Ce sera un bon endroit pour étudier parce que _____

_____

Je ferai mes devoirs dans cet espace de travail.

Signature de l'élève : _____

J'accepte que cet endroit devienne l'espace de travail de mon enfant.

Signature d'un parent : _____

Nom :

Date :

Affiche «MON ESPACE DE TRAVAIL»

Colorie cette affiche et accroche-la dans ton espace de travail.

UNE FOIS TERMINÉS!

Nom : _____

Date : _____

Trousse de survie
Casse-tête Safari

Trouve 19 articles nécessaires dans une trousse de survie. Chaque fois que tu en trouveras un, inscris-le à l'endos de cette feuille. Coche chaque article, une fois que tu l'auras déposé dans ta trousse personnelle.

Articles de la trousse: crayons à la mine - marqueurs - colle - crayons de couleur - craies - taille-crayons - gommes à effacer - stylos - papier à écrire - papier de bricolage - agrafeuse - perforeuse - ciseaux - trombones - règle - dictionnaire - fiches - carnet de devoirs - chemises cartonnées - ruban adhésif.

J'accepte d'aider mon enfant à assembler sa trousse de survie.

Signature d'un parent : _____

Nom : _____

Date : _____

Planifier l'horaire quotidien des devoirs

Fais ce devoir avec l'aide de tes parents.

Inscris toutes tes activités parascolaires (cours de musique, sports, etc.) et toutes tes responsabilités (gardiennage) pour chaque jour de la semaine. Ensuite, vois le temps qu'il te reste pour tes devoirs. N'oublie pas de tenir compte de tes préférences. Indique l'heure choisie dans l'espace à droite.

Horaire quotidien

Lundi   HEURE DES DEVOIRS

15 h _____	19 h _____
16 h _____	20 h _____	À
17 h _____	21 h _____
18 h _____	22 h _____

Mardi   HEURE DES DEVOIRS

15 h _____	19 h _____
16 h _____	20 h _____	À
17 h _____	21 h _____
18 h _____	22 h _____

Mercredi   HEURE DES DEVOIRS

15 h _____	19 h _____
16 h _____	20 h _____	À
17 h _____	21 h _____
18 h _____	22 h _____

Jeudi   HEURE DES DEVOIRS

15 h _____	19 h _____
16 h _____	20 h _____	À
17 h _____	21 h _____
18 h _____	22 h _____

Nom : _____

Date : _____

D. S. D. É.

1. Lis ces sigles : chacun contient un message positif à propos des devoirs.
2. Crée un message positif (ou plusieurs) dans les espaces libres.
3. Découpe les étiquettes et insère-les dans une enveloppe que tu déposeras dans ta trousse de survie.
4. Rapporte un de tes sigles à l'école.
5. Attache ces étiquettes aux devoirs que tu seras fier d'avoir fait toi-même.

Nom : _____

Date : _____

Un coffre à trésor rempli de récompenses

Remplis ce coffre à trésor de récompenses que tu peux t'offrir si tu fais du bon travail dans tes devoirs.

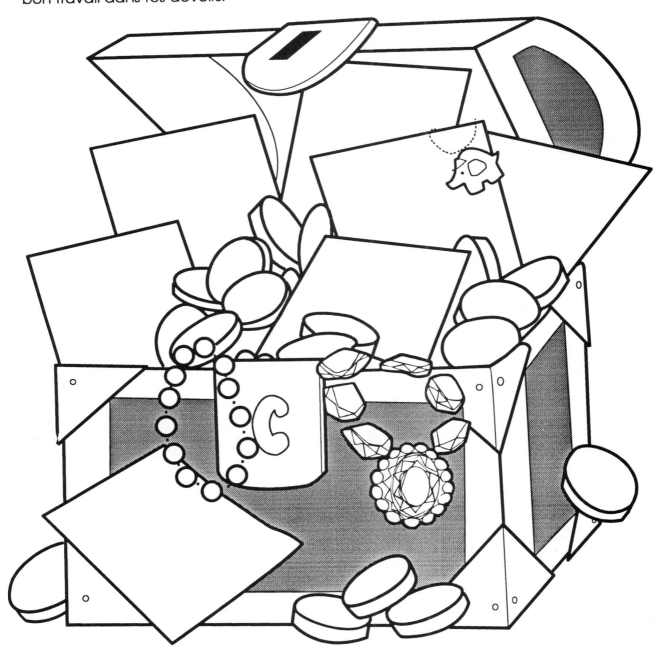

PLAN DE TRAVAIL À LONG TERME

NOM : _____ DATE : _____

DEVOIR : _____ ÉCHÉANCE : _____

ÉTAPE 1 _____
Échéance : _____
Initiales d'un parent : _____

ÉTAPE 2 _____
Échéance : _____
Initiales d'un parent : _____

ÉTAPE 3 _____
Échéance : _____
Initiales d'un parent : _____

ÉTAPE 4 _____
Échéance : _____
Initiales d'un parent : _____

ÉTAPE 5 _____
Échéance : _____
Initiales d'un parent : _____

ÉTAPE 6 _____
Échéance : _____
Initiales d'un parent : _____

ÉTAPE 7 _____
Échéance : _____
Initiales d'un parent : _____

ÉTAPE 8 _____
Échéance : _____
Initiales d'un parent : _____

FEUILLES-CONSEILS POUR LES PARENTS

(**Note** Il n'y a pas de feuille-conseils pour la leçon 1.)

CHOISIR UN DÉPÔT DES DEVOIRS

Se rappeler de rapporter ses devoirs à l'école est une responsabilité importante que votre enfant doit assumer. Choisir un Dépôt des devoirs à la maison aidera votre enfant à acquérir l'habitude de toujours déposer ses devoirs terminés au même endroit, tous les soirs.

Aidez votre enfant à choisir un dépôt des devoirs qui sera sur son chemin lors de son départ pour l'école.

FÉLICITEZ votre enfant chaque fois qu'il déposera ses devoirs terminés au Dépôt des devoirs.

Acceptez l'endroit que votre enfant a choisi comme Dépôt des devoirs. L'endroit choisi doit également vous convenir.

Respectez le Dépôt des devoirs. Ne laissez rien le recouvrir ou l'encombrer.

AMÉNAGER UN ESPACE DE TRAVAIL

Votre enfant doit disposer d'un endroit pour faire ses devoirs. L'espace de travail doit être calme, confortable, et doit contenir le matériel nécessaire.

Aidez votre enfant à choisir un espace de travail. S'il fait la plupart de ses devoirs chez la gardienne (ou ailleurs), il doit quand même avoir un endroit à la maison pour l'étude.

Votre enfant n'a pas besoin de beaucoup d'espace pour travailler. La table de la cuisine ou un coin dans le salon est acceptable pourvu que l'endroit soit calme et confortable.

CRÉER UNE TROUSSE DE SURVIE

DEVOIRS AVEC LARMES

QUE VEUX-TU DIRE PAR : «C'EST LE TEMPS DE DORMIR!!» JE VIENS TOUT JUSTE D'ASSEMBLER TOUT MON MATÉRIEL POUR FAIRE MES DEVOIRS!!

Une trousse de survie, contenant le matériel nécessaire, évitera à votre enfant de courir à travers la maison pour trouver ce qu'il cherche. Cela vous évitera également les déplacements de dernière minute au dépanneur du coin pour du papier ou de la colle.

Si votre enfant fait ses devoirs chez la gardienne (ou ailleurs), assurez-vous qu'il a tout le matériel nécessaire à cet endroit.

Respectez le matériel de votre enfant. Ne l'utilisez pas pour les besoins de la maison.

DITES à votre enfant que c'est <u>sa</u> responsabilité de vous dire s'il lui manque des articles dans sa trousse au cours de l'année.

Du matériel pour la trousse de survie est une excellente idée de cadeau. Un dictionnaire, par exemple, sera très utile dans sa trousse.

DEVOIRS SANS LARMES

Articles nécessaires dans la trousse de survie :

*crayons à la mine ● *papier à écrire *crayons de couleur ● stylos ● marqueurs colle ● craies ● taille-crayons ● gommes à effacer ● papier de bricolage agrafeuse ● perforeuse ● trombones ● ciseaux ● règle ● dictionnaire ● fiches ● carnet de devoirs ● chemises cartonnées ● ruban adhésif

*Ces articles sont indispensables dans la trousse. Procurez-les-vous le plus tôt possible.

Vous n'êtes pas obligés de tout acheter en une seule fois, mais ne tardez pas trop. Votre enfant a besoin de ce matériel pour bien faire ses devoirs.

CISEAUX...
..RUBAN ADHÉSIF...
..RÈGLE...
DÉPOSE-LES DANS LA CHEMISE ET...

TROUSSE DE SURVIE

PLANIFIER L'HORAIRE QUOTIDIEN DES DEVOIRS

L'heure quotidienne des devoirs est le temps de la journée où votre enfant doit faire ses devoirs. Il doit cesser toute autre activité et regagner son espace de travail.

Dites à votre enfant que les devoirs doivent être faits dans le cadre d'un horaire régulier.

Aidez votre enfant à déterminer combien de temps il lui faut pour faire ses devoirs.

Demandez à votre enfant d'inscrire toutes ses activités parascolaires et ses autres responsabilités dans son horaire hebdomadaire.

Encouragez votre enfant à déterminer quelle est l'heure où il est le plus en forme pour faire ses devoirs.

Demandez à votre enfant de déterminer, pour chaque jour de la semaine, le meilleur temps pour les devoirs.

FÉLICITEZ votre enfant lorsqu'il aura terminé ses devoirs durant l'heure quotidienne des devoirs.

Demandez à votre enfant d'inscrire l'heure des devoirs dans l'espace prévu à cette fin.

Vérifiez et approuvez l'horaire de votre enfant. Assurez-vous que les heures choisies sont appropriées.

Affichez l'horaire dans un endroit bien en vue. Encouragez votre enfant à respecter son horaire.

L'ENFANT DOIT TRAVAILLER DE FAÇON AUTONOME

Les devoirs enseignent à votre enfant le sens des responsabilités. Grâce aux devoirs, il apprend à acquérir des habiletés qui l'aideront à devenir autonome: comment suivre des directives, comment débuter et terminer une tâche, comment gérer son temps. En encourageant votre enfant à travailler par lui-même, vous l'aiderez à développer ces habiletés importantes pour le futur adulte qu'il sera.

MOTIVER VOTRE ENFANT PAR DES ÉLOGES

Votre enfant a besoin de votre soutien et de vos encouragements. Vos éloges l'aident à se sentir confiant dans ses capacités et le motivent à toujours faire de son mieux.

DEVOIRS AVEC LARMES

HÉ MAMAN, PAPA!! DEVINEZ! J'AI EU UN «A« POUR MON DEVOIR! N'EST-CE PAS BEAU?!! ..ALLO... ALLO?!... LA TERRE APPELLE LES PARENTS... ALLLOOO o o!!!

Chaque soir, félicitez votre enfant pour un but précis qu'il a atteint. Par exemple, «J'apprécie vraiment que tu fasses tes devoirs tout seul maintenant.»

Il est important de **SOULIGNER** chaque effort de votre enfant. Faites-lui savoir à quel point vous êtes fier de lui.

DEVOIRS SANS LARMES

Utilisez les **Super bravos** pour motiver votre enfant!

Au début, un des parents félicite l'enfant. Et il ajoute: «Papa va être fier de toi quand il arrivera.»

Ensuite, ce même parent félicite l'enfant devant l'autre parent.

Finalement, le deuxième parent félicite, à son tour, l'enfant.

Dans le cas d'une famille monoparentale, demandez à un voisin, un grand-parent ou à un ami de jouer le second rôle.

UTILISER UN PLAN DE TRAVAIL À LONG TERME

Les projets à long terme sont les devoirs les plus difficiles qu'un enfant puisse avoir. Un plan de travail à long terme peut aider votre enfant à faire un tel devoir. En utilisant ce plan, votre enfant apprendra à diviser un gros travail en petites étapes contenant chacune une échéance. Votre enfant apprendra également à diviser le travail tout en respectant le délai donné.

Dites à votre enfant que vous l'aiderez à planifier son travail, mais pas à la dernière minute.

FÉLICITEZ votre enfant à chaque étape accomplie du projet.

Mettez-vous d'accord avec votre enfant afin qu'il vous informe de tout nouveau projet à long terme aussitôt qu'il lui sera donné.

Étudiez le plan de travail à long terme avec votre enfant. Parlez-lui de l'importance de respecter chaque étape; de cette façon, le projet sera terminé à temps, sans panique.

Si, au terme d'une étape, votre enfant n'a pas terminé le travail, usez de votre autorité parentale et insistez pour qu'il soit achevé.

Notes positives aux parents

Faites des copies de ce formulaire et ayez-en toujours à portée de la main en cas de besoin.

NOUVELLES EN BREF - DEVOIRS

Cher, chère _____,

J'ai pensé que vous aimeriez savoir

que _____

fait du bon travail dans ses devoirs.

En effet, il, elle

_____

_____

_____

_____

Signature _____

Date _____

Cher, chère _____,

HOURRA !

_____
Nom de l'élève

a fait du bon travail aujourd'hui. Il, elle a

_____

_____

Signature _____

Date _____

Notes positives aux parents

Faites des copies de ce formulaire et ayez-en toujours à portée de la main en cas de besoin.

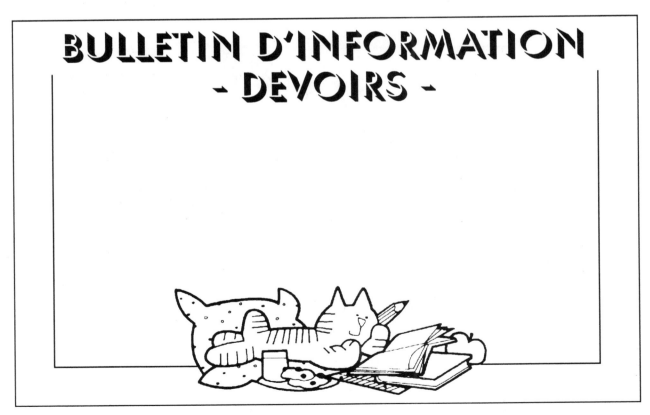

CHAMPION DES DEVOIRS

Cher, chère _____,
J'ai pensé que vous aimeriez savoir
que _____
fait du bon travail dans ses devoirs.
En effet, il, elle

_____

_____

_____

Signature _____

Date _____

BULLETIN D'INFORMATION
- DEVOIRS -

FEUILLES-RESSOURCES POUR LES PARENTS

Pour les parents de _____

Les devoirs sont un excellent moyen d'enseigner à votre enfant l'importance de commencer un travail, de le continuer et de le terminer. C'est aussi une occasion d'enseigner à votre enfant à donner le meilleur de lui-même. Si votre enfant se dépêche à faire ses devoirs pour passer à d'autres activités, vous devez lui faire comprendre qu'il doit faire ses devoirs de façon responsable.

Voici ce que vous devez faire si votre enfant ne donne pas le meilleur de lui-même.

1 **Précisez vos attentes à votre enfant.**
«J'ai vérifié ton devoir et je sais que tu peux faire mieux. Je veux que tu prennes ton temps et que tu le fasses correctement. Un devoir négligé n'est pas acceptable.»

2 **Félicitez votre enfant lorsqu'il fait du bon travail.**
«Beau travail! Tu as terminé ton devoir» ou «Ton travail est bien fait! Continue de cette façon.»

3 **Établissez un temps obligatoire pour les devoirs.**
Si votre enfant continue à se dépêcher de faire ses devoirs pour passer à une autre activité, alors vous devez établir un temps obligatoire pour les devoirs. Cela veut dire que votre enfant doit passer l'heure des devoirs à faire du travail scolaire, peu importe s'il a terminé ses devoirs ou non.

4 **Offrez des récompenses.**
Pour encourager votre enfant à continuer à bien travailler, offrez-lui des récompenses. Par exemple, chaque soir où votre enfant aura bien travaillé, il gagnera un point. Quand il aura accumulé 5 points, accordez-lui un privilège spécial.

5 **Si toutes ces méthodes échouent, prévenez l'enseignant ou l'enseignante.**
Vous devez travailler de concert avec l'enseignant ou l'enseignante pour améliorer la performance de votre enfant.

Pour les parents de _____

Si votre enfant persiste à négliger ses devoirs, il est temps de fixer des limites. Vous devez expliquer à votre enfant que, lorsqu'il choisit de ne pas faire ses devoirs, il choisit également de perdre des privilèges.

Voici ce que vous devez faire si votre enfant refuse de faire ses devoirs.

1 **Précisez vos attentes à votre enfant.**
«Je m'attends à ce que tu fasses tes devoirs tous les soirs. Sous aucun prétexte, je n'accepterai que tu refuses de les faire.»

2 **Appuyez vos paroles par des actes.**
«Tu as le choix entre faire tes devoirs ou perdre des privilèges. Si tu choisis de ne pas faire tes devoirs, alors tu ne pourras pas sortir de la maison, ou regarder la télé, etc. Et cela tant que tes devoirs ne seront pas faits. Ce choix t'appartient.»

3 **Félicitez votre enfant lorsqu'il fait ses devoirs.**
«J'apprécie beaucoup que tu fasses tes devoirs. C'est ce que j'attendais de ta part.»

4 **Utilisez le contrat de travail.**
Un contrat de travail est une entente écrite entre votre enfant et vous, concernant ses devoirs. Voici ce que peut contenir un contrat de travail : «Lorsque tu auras fait tes devoirs, tu gagneras un point. Quand tu auras accumulé 5 points, tu auras le droit de veiller plus tard, le soir qui te conviendra.»

5 **Si toutes ces méthodes échouent, prévenez l'enseignant ou l'enseignante.**
Vous devez travailler de concert avec l'enseignant ou l'enseignante pour améliorer le comportement de votre enfant.

Pour les parents de _____

Si votre enfant «oublie» constamment d'apporter ses devoirs à la maison, vous devez agir.

Voici ce que vous devez faire si votre enfant «oublie» ses devoirs à l'école.

1 **Énoncez clairement vos attentes.**
«Je m'attends à ce que tu apportes tes devoirs à la maison. Si tu les termines à l'école, je veux que tu les apportes quand même à la maison pour que je les vérifie.»

2 **Demandez à l'enseignant ou à l'enseignante quels sont les devoirs.**
Demandez la collaboration de l'enseignant ou de l'enseignante afin que votre enfant fasse une liste de ses devoirs chaque jour. Cette liste devra être vérifiée et signée par l'enseignant ou l'enseignante. Lorsque votre enfant aura terminé ses devoirs, vous devrez signer également cette liste.

3 **Félicitez votre enfant lorsqu'il apporte ses devoirs.**
«J'apprécie beaucoup que tu apportes tes devoirs. Je savais que tu en étais capable.»

4 **Établissez un temps obligatoire de devoirs.**
Si votre enfant continue d'«oublier» ses devoirs à l'école, vous devez établir un temps obligatoire de devoirs. Cela veut dire que votre enfant doit passer l'heure des devoirs à faire du travail scolaire, même s'il a oublié ses devoirs à l'école.

5 **Utilisez le contrat de travail.**
Un contrat de travail est une entente écrite entre votre enfant et vous, concernant ses devoirs. Voici ce que peut contenir un contrat de travail : «Lorsque tu auras fait tes devoirs, tu gagneras un point. Quand tu auras accumulé cinq points, tu auras le droit de veiller plus tard, le soir qui te conviendra.»

101

6 **Si toutes ces méthodes échouent, prévenez l'enseignant ou l'enseignante.**
Vous devez travailler de concert avec l'enseignant ou l'enseignante pour améliorer le comportement de votre enfant.

Pour les parents de _____

Si votre enfant prend toute la soirée pour faire ses devoirs sans que cela soit nécessaire, vous devez agir afin de résoudre ce problème.

Voici ce que vous devez faire si votre enfant prend toute la soirée pour faire ses devoirs.

1 | Énoncez clairement vos attentes.

«Je m'attends à ce que tu fasses tes devoirs pendant l'heure quotidienne des devoirs. Tu prends toute la soirée pour les faire et je veux que cela cesse.»

2 | Assurez-vous que votre enfant dispose d'un endroit calme pour faire ses devoirs.

Si votre enfant prend trop de temps pour faire ses devoirs, c'est peut-être parce que son espace de travail n'est pas à l'abri des distractions. Alors, essayez de lui trouver un endroit calme pour travailler.

3 | Félicitez votre enfant lorsqu'il fait ses devoirs.

«J'apprécie beaucoup que tu fasses tes devoirs sans prendre une éternité. C'est ce que j'attendais de ta part.»

4 | Offrez des récompenses, si nécessaire.

Faites la course contre la montre. Premièrement, vous devez déterminer, avec votre enfant, le temps dont il a besoin pour faire ses devoirs. Ensuite, vous réglez un chronomètre. Si votre enfant termine avant la fin du temps alloué, il aura droit à une récompense.

5 | Appuyez vos paroles par des actes.

Si les méthodes précédentes échouent, vous devez passer aux actes. Dites à votre enfant: «Tu as le choix. Tu fais tes devoirs pendant l'heure quotidienne des devoirs ou alors tu perds des privilèges. Tu ne pourras pas sortir de la maison ou regarder la télé tant que tes devoirs ne seront pas faits.»

Pour les parents de _____

Si votre enfant ne veut pas faire ses devoirs sans aide, vous devez vous assurer qu'il fait des efforts pour travailler seul. S'il insiste pour que vous soyez à ses côtés constamment, alors vous devez suivre les étapes suivantes.

Voici ce que vous devez faire si votre enfant ne veut pas travailler seul.

1 **Énoncez clairement vos attentes.**
«Je m'attends à ce que tu fasses tes devoirs sans aide. Je ne serai pas constamment à tes côtés et je ne ferai pas tes devoirs à ta place.»

2 **Félicitez votre enfant lorsqu'il travaille seul.**
Lorsque vous voyez que votre enfant travaille seul, félicitez-le et encouragez-le à continuer.

3 **Aidez votre enfant à prendre de l'assurance.**
Si votre enfant se décourage devant un gros devoir à faire, essayez la méthode qui consiste à diviser le travail par blocs. Par exemple, 20 problèmes de mathématiques peuvent être séparés en 5 blocs de 4. Récompensez votre enfant chaque fois qu'il aura terminé un bloc, jusqu'à la fin du devoir.

4 **Aidez votre enfant seulement s'il a fait des efforts pour trouver la solution.**
Assurez-vous que votre enfant a essayé au moins deux fois de trouver la solution lui-même avant de l'aider.

5 **Offrez des récompenses, si nécessaire.**
Une autre méthode consiste à utiliser le troc. Pour ce faire, placez un bol de bonbons (ou autre) près de votre enfant et dites-lui: «Chaque fois que tu demanderas de l'aide pour ton devoir, tu devras me donner un de tes bonbons. Quand tu n'en auras plus, je ne t'aiderai plus. S'il t'en reste à la fin des devoirs, tu pourras les manger.»

6 | Appuyez vos paroles par des actes.

Si les méthodes précédentes échouent, soyez ferme. Assurez-vous que votre enfant sait qu'il n'aura aucune aide après l'heure des devoirs et qu'il devra tout de même faire ses devoirs, quitte à y passer la soirée.

Pour les parents de _____

Lorsque votre enfant tarde à faire ses devoirs à long terme jusqu'à la veille de leur remise, il panique alors devant la quantité de travail à faire et demande votre aide. Pour résoudre ce problème, il doit utiliser un plan de travail à long terme.

Voici ce que vous devez faire si votre enfant tarde à faire ses devoirs à long terme.

| 1 | **Énoncez clairement vos attentes.** |

«J'attends de toi que tu planifies tes devoirs à long terme. Cette attente jusqu'à la dernière minute doit cesser.»

| 2 | **Demandez à l'enseignant ou à l'enseignante un plan de travail à long terme.** |

En utilisant ce plan, votre enfant apprendra à séparer en petites étapes les devoirs à long terme et à répartir son travail sur la période de temps allouée pour les faire. Demandez-lui qu'il vous informe de chaque nouveau devoir à long terme et aidez-le à planifier les étapes et les échéances.

| 3 | **Félicitez votre enfant lorsqu'il termine une étape.** |

«J'ai beaucoup aimé que tu finisses la lecture de ton livre avant la date prévue.»

| 4 | **Offrez des récompenses, si nécessaire.** |

Chaque fois qu'il terminera une étape, il gagnera un point. Lorsqu'il aura accumulé un certain nombre de points, il aura droit à une récompense.

| 5 | **Appuyez vos paroles par des actes.** |

Si les méthodes précédentes échouent, c'est le temps d'imposer des restrictions. Chaque fois que votre enfant ne termine pas une étape à temps, enlevez-lui un privilège (jouer dehors, regarder la télé, etc.) jusqu'à ce qu'il la termine.

Pour les parents de _____

Si votre enfant ne veut pas faire ses devoirs lorsque vous êtes absent, vous devez lui apprendre à être plus responsable en ce qui a trait à ses devoirs.

Voici ce que vous devez faire si votre enfant ne veut pas faire ses devoirs en votre absence.

---

1 **Énoncez clairement vos attentes.**
«Je m'attends à ce que tu fasses tes devoirs tous les soirs, que je sois à la maison ou non.»

---

2 **Assurez-vous que la personne responsable de votre enfant connaît le système de l'heure quotidienne des devoirs.**
Elle doit être informée de l'heure à laquelle votre enfant doit faire ses devoirs, du lieu (l'espace de travail) où il doit les faire et du fait qu'il doit les faire seul.

---

3 **Prenez contact avec votre enfant par téléphone.**
Téléphonez à votre enfant pour vous assurer qu'il fait bien ses devoirs. Dites-lui de laisser ses devoirs bien en vue afin que vous puissiez les vérifier.

---

4 **Félicitez votre enfant.**
Félicitez votre enfant lorsqu'il fait ses devoirs pendant votre absence.

---

5 **Offrez des récompenses, si nécessaire.**
Un contrat de travail peut s'avérer un outil précieux pour motiver votre enfant.

Le contrat doit stipuler:

- l'obligation de faire les devoirs même en votre absence;

- le délai accordé pour les faire;

- le nombre de points gagnés chaque fois que les devoirs sont terminés;

- la récompense promise quand un certain nombre de points est atteint.

6 **Appuyez vos paroles par des actes.**
Si les méthodes précédentes échouent, vous devez agir. Dites alors à votre enfant: «Tu as le choix. Tu fais tes devoirs ou tu perds des privilèges. Si tu ne fais pas tes devoirs, tu ne pourras pas sortir de la maison, regarder la télé, etc. Et cela tant que tes devoirs ne seront pas terminés.»

7 **Si toutes ces méthodes échouent, prévenez l'enseignant ou l'enseignante.**
Vous devez travailler de concert avec l'enseignant ou l'enseignante pour améliorer le comportement de votre enfant.

MODÈLES DE DEVOIRS CRÉATIFS

Nom : _____

Date : _____

Interview

Interviewe quelqu'un à la maison à propos de _____

_____

Écris l'information apprise dans l'espace ci-dessous.

Note Si tu as un magnétophone, tu peux enregistrer l'entrevue. Ensuite, écoute la cassette et écris l'information importante.

Nom : _____

Date : _____

Divise en étapes

Dessine ou écris les étapes pour _____

Divise en _____ étapes.

Nom : _____

Date : _____

Évalue différentes opinions

Dans la bulle de gauche, écris au moins _____ avantages de

_____

_____

Dans la bulle de droite, écris au moins _____ désavantages à ce sujet.

Nom : _____

Date : _____

Imagine-toi à la place d'une autre personne

Imagine que tu _____

_____

Écris une page de journal _____

_____

_____

_____

_____

_____

_____

_____

_____

_____

_____

_____

_____

Nom : _____

Date : _____

Raconte à tes parents ce que tu as appris en classe

Présente à tes parents trois faits au sujet de _____

_____

Première partie
Écris trois faits que tu leur apprendras.

1 _____

2 _____

3 _____

Deuxième partie
Planifie l'organisation de ta présentation. Feras-tu une présentation orale, ou avec graphiques, ou bien une lecture? Demanderas-tu à tes parents de prendre des notes? Écris comment tu vas procéder.

_____

_____

Troisième partie
Pose trois questions qui te permettront de vérifier si tes parents ont bien compris la leçon.

Question 1 _____

_____

Question 2 _____

_____

Question 3 _____

_____

Copie ces questions à l'endos de cette feuille. Ce sera l'examen de tes parents.

Quatrième partie
Présente ta leçon, puis demande à tes parents de répondre à tes questions.

Nom : _____

Date : _____

Utilise des objets pour illustrer ce que tu as appris

Utilise de petits objets que tu as trouvés à la maison
pour faire _____

_____

Écris tes idées ci-dessous pour planifier ton projet.
Tes parents peuvent t'aider à les écrire.

Objets que j'ai trouvés qui serviront à _____

_____

_____

_____

Comment mes objets seront-ils assemblés?
(Encercler une ou plusieurs réponses.)

Trombones   Colle   Ruban adhésif

Agrafes   Punaises   Autres: _____

Ce que j'aime le plus faire avec mes objets

_____

_____

Mon projet se nomme _____

_____

Mon enfant a la permission d'utiliser les objets trouvés pour
son projet.

Signature d'un parent: _____

◆　　◆　　◆　　◆　　◆　　◆　　◆　　◆

Autres titres

GESTION DE CLASSE

À livres ouverts	*Debbie Sturgeon*
Activités de lecture pour les élèves du primaire	2-89310-160-7
Apprendre... c'est un beau jeu	*M. Baulu-MacWillie, R. Samson*
	2-89310-038-4
Vidéocassette	2-89310-038-4-V
Construire une classe axée sur l'enfant	*S. Schwartz, M. Pollishuke*
	2-89310-049-X
Devoirs sans larmes	*Lee Canter*
Guide à l'intention des parents pour motiver les enfants à faire leurs devoirs et à réussir à l'école	2-89310-315-4
Guide pour les enseignantes et les enseignants de la 1re à la 3e année	2-89310-316-2
Guide pour les enseignantes et les enseignants de la 4e à la 6e année	2-89310-317-0
Être prof, moi j'aime ça!	*L. Arpin, L. Capra*
Les saisons d'une démarche de croissance pédagogique	2-89310-198-4
Le conseil de coopération	*Danielle Jasmin*
	2-89310-200-X
Vidéocassette	2-89310-200-X-V
Quand revient septembre	*Jacqueline Caron*
Guide sur la gestion de classe participative	2-89310-199-2
Quand les enfants s'en mêlent	*Lisette Ouellet*
	2-89310-313-8

APPRENTISSAGE COOPÉRATIF

Apprenons ensemble	*Judy Clarke et coll.*
L'apprentissage coopératif en groupes restreints	2-89310-048-1
Le travail de groupe	*Elizabeth G. Cohen*
Stratégies d'enseignement pour la classe hétérogène	2-89310-206-9

MATHÉMATIQUES

Interactions 1 et 2	*J. Hope, M. Small*
Les mathématiques et la littérature pour enfants	2-89310-183-6
Interactions 3 et 4	*J. Hope, M. Small*
Les mathématiques et la littérature pour enfants	2-89310-192-5
La pensée critique en mathématiques	*Anita Harnadek*
Guide d'activités	2-89310-201-8
Les mathématiques selon les normes du NCTM 9e à 12e année	
Analyse de données et statistiques	2-89310-204-2
Géométrie sous tous les angles	2-89310-205-0
Intégrer les mathématiques	2-89310-203-4
Un programme qui compte pour tous	2-89310-202-6

◆　　◆　　◆　　◆　　◆　　◆　　◆　　◆

SCIENCES, TECHNOLOGIE ET ENVIRONNEMENT

La classe verte
Adrienne Mason
2-89310-072-4

L'éducation technologique
Guide pédagogique
Daniel Hupé
2-89310-207-7

Question d'expérience
Activités de résolution de problèmes en sciences et en technologie
David Rowlands
2-89310-169-0

Techno, activités pour les élèves
Guide pratique d'enseignement
B. Reynolds et coll.
0-02-954186-7

Sciences en ville
J. Bérubé, D. Gaudreau
2-89310-236-0

Un tremplin vers la technologie
Ouvrage collectif
2-89310-320-0

INTERCULTURALISME

La classe interculturelle
Guide d'activités et de sensibilisation
Cindy Bailey
2-89310-153-4

Nous, on se ressemble
Ensemble 1er cycle
Ensemble 2e cycle
S. Bédard, M. Coutu-Cardin
2-89310-195-X
2-89310-196-8

ÉVALUATION

Construire la réussite
L'évaluation comme outil d'intervention
R. J. Cornfield et coll.
2-89310-071-6

Faire parler les mots
Guide d'exploitation et guide d'évaluation
William T. Fagan
2-89310-115-1

Profil d'évaluation
Une analyse pour personnaliser votre pratique
Louise Bélair
2-89310-314-6

ADMINISTRATION SCOLAIRE

L'approche-service appliquée à l'école
Une gestion centrée sur les personnes
Claude Quirion
2-89310-237-9

POUR PLUS DE RENSEIGNEMENTS OU POUR COMMANDER,
COMMUNIQUEZ AVEC NOTRE SERVICE À LA CLIENTÈLE
AU (514) 273-1066

LES ÉDITIONS DE LA CHENELIÈRE INC.
215, rue Jean-Talon Est
Montréal (Québec)
Canada H2R 1S9
Téléphone: (514) 273-1066
Télécopieur: (514) 276-0324

- Cap-Saint-Ignace
- Sainte-Marie (Beauce)
Québec, Canada
1995

«L'IMPRIMEUR»